A PSICOLOGIA NOS DITADOS POPULARES

Joaquim Cesário de Mello

A PSICOLOGIA NOS DITADOS POPULARES

Compreendendo a mente humana
por meio da sabedoria do senso comum

Copyright © 2019 de Joaquim Cesário de Mello
Todos os direitos desta edição reservados à Editora Labrador.

Coordenação editorial
Erika Nakahata

Acompanhamento editorial
Sarah Czapski Simoni

Projeto gráfico, diagramação e capa
Antonio Kehl

Preparação de texto
Daniela Georgeto

Revisão
Luísa de Freitas

Dados Internacionais de Catalogação na Publicação (CIP)
Angélica Ilacqua – CRB-8/7057

Mello, Joaquim Cesário de
  A psicologia nos ditados populares : compreendendo a mente humana por meio da sabedoria do senso comum / Joaquim Cesário de Mello. -- São Paulo : Labrador, 2019.
  128 p.

  ISBN: 978-65-5044-031-2

  1. Psicologia 2. Provérbios – Aspectos psicológicos I. Título

| 19-2562 | CDD 150 |

Índice para catálogo sistemático:
1. Psicologia

Editora Labrador
Diretor editorial: Daniel Pinsky
Rua Dr. José Elias, 520 — Alto da Lapa
São Paulo/SP — 05083-030
Telefone: +55 (11) 3641-7446
contato@editoralabrador.com.br
www.editoralabrador.com.br
facebook.com/editoralabrador
instagram.com/editoralabrador

A reprodução de qualquer parte desta obra é ilegal e configura uma apropriação indevida dos direitos intelectuais e patrimoniais do autor.

A editora não é responsável pelo conteúdo deste livro.
O autor conhece os fatos narrados, pelos quais é responsável, assim como se responsabiliza pelos juízos emitidos.

Eu não sou eu nem sou o outro,
Sou qualquer coisa de intermédio:
Pilar da ponte de tédio
Que vai de mim para o Outro.

Mário de Sá-Carneiro

Ao meu neto Pedro.

Sumário

Introdução 11
Cada cabeça uma sentença 15
    A mente humana 15
A pressa é inimiga da perfeição 19
    Id e Ego 19
Filho de peixe peixinho é 23
    Transgeracionalidade 23
    Superego 26
Galinha que acompanha pato morre afogada 31
    O eu e o tu 31
    Autoaceitação 34
    Assertividade 37
    Verdadeiro e falso self 40
Barata sabida não atravessa galinheiro 43
    Senso crítico 43
Quem vê cara não vê coração 47
    Persona 47
    Autoimagem e autoconceito 48
De pequenino é que se torce o pepino 53
    Desenvolvimento social do psiquismo 53
Cobra que não anda não apanha sapo 57
    Independência e autonomia 57

Farinha pouca, o meu pirão primeiro 61
   O egoísmo humano 61
   Altruísmo 64

O que os olhos não veem, o coração não sente 67
   Inconsciente 67
   Angústia: a dor atávica da alma 70

Gato escaldado tem medo de água fria 75
   Trauma psíquico 75

Onde há fumaça, há fogo 79
   As neuroses 79

A grama do vizinho é sempre mais verde 83
   O sentimento de inveja 83

O medo é do tamanho que a gente faz 87
   Medos e fobias 87

Depois da tempestade vem a bonança. Depois da calma vem a tempestade 91
   A bipolaridade da alma 91

Formiga, quando quer se perder, cria asas 95
   Surtos, descompensações e explosões 95
   Pitis histéricos 99

Nada como um dia após o outro 103
   Resiliência 103

Quem canta seus males espanta 107
   Psicoterapia: o tratamento da alma 107

Só se sabe a felicidade depois que ela vai embora 111
   O eterno desejo de felicidade 111

Deus escreve certo por linhas tortas 115
   O coração tem razões que a
   própria razão desconhece 115

Índice remissivo de ditados populares 119

Introdução

*O que faz andar o barco não é a vela enfunada,
mas o vento que não se vê.*

Platão[1]

Há uma expressão popular que diz que *a voz do povo é a voz de Deus*. Muito da sabedoria popular e até mesmo secular[2] está contido nos ditados populares. Trata-se de um saber sobre o comportamento humano e seus desígnios com base no senso comum, que herdamos dos nossos antepassados e que muito nos ensina sobre a psicologia humana.

Muitos ditados vêm de muito tempo atrás, quando a transmissão do conhecimento e da cultura se dava de maneira oral. Em seu formato curto e compacto, os ditados descrevem tanto os comportamentos quanto as suas consequências. *Para bom entendedor, meia palavra basta*. Os ditados, adágios, provérbios e ditos são princípios e máximas cuja intensão é ensinar o que o ser humano vem aprendendo com a experiência ao longo dos anos. É um resumo de parte da História do homem, em toda sua humanidade.

A maioria dos provérbios abrange aforismos de origem desconhecida, outros não. Alguns sofreram modificações com o tempo, como *quem não tem cão caça com gato*, que originariamente era *quem não tem cão caça como gato*. Outro exemplo é *quem tem boca vai a Roma*, cujo primórdio era *quem tem boca vaia Roma*.

---

[1] Filósofo grego (428/427 a.C.-348/347 a.C.).
[2] Por exemplo, o ditado *antes só do que mal acompanhado* data do século XIV na Espanha.

O presente livro não tem como objetivo traduzir literalmente o sentido do ditado, nem explicar suas raízes históricas, mas, sim, correlacionar as expressões populares com o atual conhecimento advindo da ciência moderna da Psicologia. Os ditos são sabedorias psicológicas da natureza humana e do seu convívio social.

Particularmente, utilizo-me bastante dos ditados e adágios, assim como metáforas, versos e figuras de linguagem, no meu dia a dia como psicólogo clínico como forma de manejo de intervenção sobre o discurso/material do cliente, dando, assim, maior ênfase e compreensão associativa às minhas confrontações, clarificações e interpretações. Ao longo de mais de 30 anos como profissional (psicoterapeuta e professor universitário de Psicologia), tenho constatado e conferido a força dos ditos populares quando utilizados nas abordagens terapêuticas. *Quem não arrisca, não petisca.*

Como a finalidade aqui é falar de Psicologia por meio dos ditados e ditos, utilizarei uma linguagem próxima à popular, evitando o linguajar e as locuções herméticas da academia e da ciência, cujo palavreado, muitas vezes *emperiquitado*,[3] tende a se restringir a guetos e pequenos grupos de pessoas "entendidas" e "instruídas" no dialeto científico de sua área específica (*nem tudo que reluz é ouro*). Isso, por sua vez, não implica um texto raso e/ou superficial, afinal não vamos confundir simplicidade com simplismo. O psiquismo é complexo e seus fenômenos percorrem inúmeros trajetos labirínticos, em um emaranhado de variáveis que vai do biológico até o psicossocial.

Às vezes me pego pensando que se Freud, por exemplo, tivesse nascido no Brasil, mais precisamente no Nordeste, não estaríamos falando de divã, mas sim de rede, assim como inconsciente seria brenha psíquica, mãe seria *mainha* e pai seria *painho*. Não acredito que isso mudaria a importância e o significado das descobertas e ideias freudianas. Já dizia o dramaturgo inglês William Shakespeare (1564-1616) em sua peça Romeu e Julieta: *se a rosa tivesse outro nome, ainda assim teria o mesmo perfume*. Afinal *o hábito não faz o monge*.[4]

Cada capítulo tem sua temática distinta, associada ao ditado que lhe encabeça. No decorrer de cada texto, outros ditos também correlatados serão empregados, ficando ao final do livro a lista de todos os ditados utilizados nesta obra, que é um verdadeiro diálogo entre o conhecimento científico sobre a mente (psiquismo) humana e a sabedoria do senso comum que se encontra

---

[3] Expressão popular nordestina para algo arrumado em demasia, cheio de enfeites.
[4] Ditado que significa que não devemos julgar os outros pela aparência. Hábito, nesse caso, representa vestimenta normalmente usada pelos monges.

nas expressões populares. Um diálogo que busca interseção e confluência, pois, no fim das contas, *quem procura acha*.

Vamos, pois, escutar o saber do povão e aprender com ele a melhor entender essa coisa fascinante e misteriosa que é a alma humana. Afinal, *até as paredes têm ouvido*.

> *O sábio das coisas simples*
> *olhou em torno e disse:*
> *não há profundidade*
> *sem superfície.*
> Luís Veiga Leitão[5]

---
[5] Poeta português (1912-1987).

Cada cabeça uma sentença

A carne é cinza, a alma é chama.
Victor Hugo[1]

A mente humana

Disse o poeta português Fernando Pessoa (1886-1935) que *quem tem alma não tem calma*. E o que é a alma humana, que também chamamos de mente humana? O romancista norte-americano e Nobel de Literatura de 1978 Isaac Singer certa vez declarou que *existe um enorme tesouro bem dentro do nosso crânio, e isso é verdade para cada um de nós. Este pequeno tesouro tem grandes poderes, e eu diria que até agora apenas aprendemos uma muito, muito pequena parte, daquilo que pode fazer.*

Sim, é fascinante estudar e tentar compreender a complexa funcionalidade da mente humana e suas dinâmicas. A caixa preta, de que tanto falavam os psicólogos no século XIX e início do século XX. O que nos habita por dentro e que nos é tão íntimo é, ao mesmo tempo, um grande mistério ainda a ser mais bem desvendado. O *decifra-me ou te devoro* da Esfinge de Tebas é um desafio a ser mais bem e profundamente explicado. Sabemos que a resposta ao enigma da Esfinge é o homem, mas ainda pouco desvelado no sentido de quem é o homem em seu interior.

Na mente humana aloja-se o homem enquanto pessoa e consciência de si e do seu eu. Porém, a mente humana é mais do que somente o homem. Ele brota

---

[1] Escritor francês (1802-1885).

dela, todavia continuamos a ser um tanto analfabetos da geologia psicológica em que habitamos como seres humanos.

O psiquismo humano nos faz humanos. Ele nos diferencia dos outros animais. Por isso existe um ditado popular que diz que *o que é do homem, o bicho não come*. É desse terreno psíquico que nascem nossos pensamentos, sentimentos, crenças, fantasias, desejos, sonhos e comportamentos. O que nos move, o que em nós é chama e nos mantém vivos, é o que se denomina de alma humana.

A mente é um conjunto de fenômenos e processos psíquicos, muitas vezes labirínticos e intrincados. É como se fosse uma energia gerada pelo cérebro, que nos move o corpo a partir de seus impulsos, pulsões e emoções.

Podemos comparar o psiquismo a uma enorme floresta pouco explorada. Quanto mais adentrarmos essa floresta, mais chances teremos de nos deparar com uma fauna e flora inusitadas. E, como qualquer pioneiro explorador e *buliçoso*,[2] vamos dando nome e tentando conhecer o funcionamento e a biologia psíquica dos fenômenos inseridos nas *brenhas*[3] do psiquismo.

Conhece-te a ti mesmo e conhecerás os deuses e o universo, estava escrito no portal do Oráculo de Delfos na Grécia Antiga. Precisamos, pois, nos conhecer, ainda mais do que pensamos que nos conhecemos.

A alma humana tem ela própria seus segredos, os quais, inclusive, esconde de si mesma, como uma *butija*.[4] Como bem entendeu o neurologista e psicanalista austríaco Sigmund Freud (1856-1939), *não somos apenas o que pensamos ser. Somos mais: somos também o que lembramos e aquilo que nos esquecemos*. Freud estava certo, mas também estava certo o dramaturgo inglês William Shakespeare, quando afirmou que *nós somos feitos da mesma matéria de que são feitos os sonhos*.

O que mais nos fascina no ser humano é que cada um é diferente do outro. Embora nossa estrutura psíquica seja semelhante, a arquitetura de cada um é singular. Assim como, biblicamente, o homem é feito da argila do solo, psicologicamente, somos feitos a partir de uma espécie de massa de modelar (alma/mente) que a vida, as experiências e o contexto sociocultural e ambiental forjaram de formas diferentes (pessoa/indivíduo/personalidade), embora iguais enquanto humanos. Afinal, *cada leitão em sua teta*, e *cada louco com sua mania*.

---

[2] Aquele que mexe em tudo.
[3] Brenha significa "lugar distante e de difícil acesso".
[4] Termo usado no Nordeste para designar uma pequeno reservatório no qual se guarda um tesouro escondido.

Cada cabeça uma sentença   17

*A mente realmente firme, verdadeira,
é a que pode abarcar tanto as coisas grandes como as pequenas.*

Samuel Johnson[5]

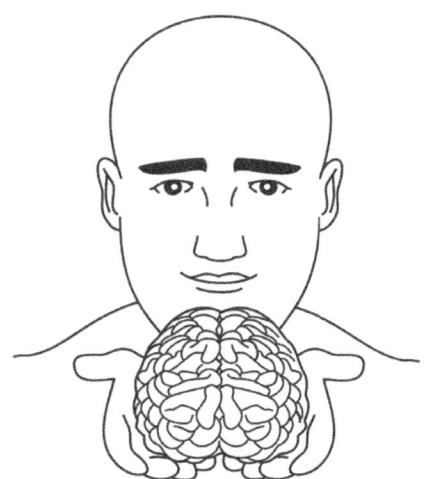

---
[5]   Escritor inglês (1709-1784).

A pressa é inimiga da perfeição

O raciocínio e a pressa não se dão bem.
Sófocles[1]

Id e Ego

Eis um ditado popular que comunga com outros, como *devagar se vai longe, o apressado come cru, angu de um dia não engorda porco, quem vai com muita sede ao pote quebra o pote, a pressa só é útil para apanhar moscas*. Todos falam que o imediatismo e a impulsividade comprometem o resultado final.

Do ponto de vista do desejo humano, este quer atingir sua realização da forma mais rápida possível. Acontece que, se fôssemos regidos apenas pelo imperativo do desejo, o possível seria desconsiderado. O desejo é, por excelência, uma pulsão que nos impele ao urgente. Quem deseja, anseia. Quem anseia, tem ânsia. Quem tem ânsia, tem sofreguidão. E quem tem sofreguidão, tem pressa e avidez. O desejo é *avexado*.[2]

A realidade nem sempre se apresenta como gratificação dos nossos desejos. Podemos até desejar tudo, mas não podemos satisfazer todos os nossos desejos. Alguns serão totalmente realizados, outros apenas parcialmente, outros deverão ser adiados e ainda há aqueles que nunca serão consumados. Uma pessoa pode desejar ir a Marte, mas isso não significa que ela possa realmente realizar essa vontade, pelo menos não até hoje. No futuro, quem sabe? *O futuro a Deus pertence*.

---

[1] Dramaturgo grego que viveu no século V a.C.
[2] Apressado.

O desejo é uma força psicológica propulsora, isto é, que nos movimenta, nos faz procurar algo. Nesse sentido, desejo é impulso. Sigmund Freud entendia a mente humana de maneira tripartite, ou seja, em espécie de três instâncias ou estruturas psíquicas que muitas vezes vivem em conflito entre si. A cada uma deu um nome: Id, Ego e Superego.

O Id, para a psicanálise freudiana, é a estrutura mais primal ou primitiva do psiquismo. Chegamos ao mundo com ele. Nossa psiquê é puro Id nos momentos iniciais da vida extrauterina. O Id é a fonte originária da energia psíquica.[3] Nessa perspectiva, o Id é constituído por pulsões, instintos e impulsos.

Já o Ego é a parte da mente que lida com o mundo externo e a realidade. Segundo Freud, o Ego não é uma estrutura presente no neonato (recém-nascido), porém vai evoluindo com o próprio desenvolvimento do bebê e da criança. Cabe à estrutura egoica modular e regular os impulsos provenientes do Id, adequando-os ao ambiente e às condições da própria realidade presente.

Quanto ao Superego, essa estrutura vai se formando fundamentalmente a partir das introjeções e internalizações que faz a mente em contato com os valores recebidos dos pais e da sociedade. É o que poderíamos chamar de parte moral do psiquismo humano.

Expliquemos melhor. Ao nascermos, o psiquismo é puro impulso e pulsões, isto é, é puro Id, que é a instância inata da psiquê. Não há leitura de ambiente externo ou de realidade, funcionando no que Freud denominou de *Princípio do Prazer* (a energia psíquica é *solta na buraqueira*[4]). As pulsões do Id demandam imediata satisfação ou, em outras palavras, a mente em estado primitivo, regida pelo Princípio do Prazer, busca saciar seus desejos ou pulsões (alcançando, com isso, gratificação e prazer) e evita o desprazer, ou seja, se afasta de qualquer evento que lhe cause insatisfação. Como disse Freud, *o princípio do prazer é próprio do modo de funcionamento primário do aparelho psíquico*.

A mente lactente e rudimentar de um bebê busca cegamente atender ao Princípio do Prazer em seu estado primário bruto. O psiquismo, ainda totalmente dominado pelo Id, não tem noção de tempo ou limite, pois ainda não há um Ego formado. Este, por sua vez, quando se organiza psiquicamente, é, de forma contrária

---

[3] Energia psíquica é uma metáfora para os processos biológicos/cerebrais que estão relacionados com as atividades corporais ou comportamentos humanos. A palavra energia vem do grego *ergos*, que significa trabalho, movimento; assim como psíquico também provém do grego *psiché* (alma).

[4] Significa algo totalmente livre, sem limites.

ao Id, regido pelo *Princípio de Realidade*, termo utilizado para expressar a mente mais amadurecida, que é capaz de lidar com o mundo real e, consequentemente, adiar gratificações ou impedir determinados impulsos danosos e perigosos. A mente passa, portanto, por uma espécie de desdobramento, dividindo-se em uma parte que quer externalizar os impulsos e as pulsões e outra que intermedeia tais impulsos podem ou não ser agidos no mundo externo, afinal *mais vale um pássaro na mão do que dois voando*. Graças ao Princípio de Realidade, o ser humano pode, então, sobreviver sem depender de um terceiro que lhe impeça de se prejudicar ou se machucar, por exemplo. Em outras palavras, mais precisamente em nordestinês, o Ego tem que *segurar o rojão*,[5] que é a *besta-fera*[6] da *gota serena*[7] do Id.

Essa relação entre a parte da mente que funciona pelo Princípio do Prazer (Id) e a parte da mente que funciona pelo Princípio de Realidade é mote de uma alegoria descrita por Freud que compara a alma humana a um cavalo montado por um cavaleiro. O cavalo é maior e mais forte que o cavaleiro, mas o cavaleiro, porque sabe montar e segurar as rédeas, leva o cavalo para onde quiser. Contudo, se o cavaleiro não sabe montar o cavalo ou, se por alguma razão, afrouxa as rédeas, quem o leva é o cavalo, e o cavalo pode levar o cavaleiro para lugares aonde ele não quer ir, inclusive até mesmo derrubá-lo. Nessa metáfora, quem representa o cavalo é o Id, e quem representa o cavaleiro é o Ego. Para melhor se conduzir na vida, cabe ao Ego saber conduzir o cavalo. Quando o Ego é fraco ou frágil (*chocho*[8] ou *desmilinguido*[9]), o Id *emburaca*[10] com tudo. Se *quem vai pra chuva vai pra se molhar*, cabe ao Ego ponderar se vale a pena sair brincando na chuva, correndo o risco de ficar gripado, com bronquite ou pegar uma pneumonia.

Voltando ao ditado popular *a pressa é inimiga da perfeição*, quando o indivíduo age por impulso, imediatismo e açodamento, geralmente comete falhas e erros evitáveis, principalmente porque a maioria dos erros que se cometem por afobação, avidez, impaciência ou voracidade resulta de decisões apressadas, sem a devida ponderação e serenidade. É quando tendemos a *colocar a carroça na frente dos bois*.[11] O que se faz de maneira apressada, portanto, corre o risco de não sair bem feito. Afinal, de *passinho a passinho se faz muito caminho*.

---

[5] Expressão popular que significa *segurar as pontas*.
[6] Animal selvagem.
[7] Bravo, impaciente, danado.
[8] Pessoa fraca, subnutrida.
[9] Sem vigor.
[10] Entrar à força; ingressar sem licença.
[11] Bordão popular que significa ser imediatista.

Atribui-se ao Imperador romano Augusto, no século I a.C., a expressão latina *festina lente*, que significa "pressa lenta". Esse sábio conselho representa que devemos procurar fazer as coisas da maneira mais rápida possível, mas não apressadamente, pois, *quem à pressa se casa com vagar se arrepende*.

Outra analogia que se pode fazer é com a história infantil *Os três porquinhos*. Conta-se que três porquinhos viviam em uma floresta e cada um deles decidiu construir sua própria casa. Os dois porquinhos mais novos, ansiosos para brincar, constroem suas casas muito rapidamente, um usando palha e o outro utilizando madeira. Contudo, o terceiro porquinho, mais maduro que os demais, decide edificar sua casa em alvenaria, tijolo por tijolo, mesmo que isso levasse mais tempo. Quando, certo dia, o lobo mau aparece, cada porquinho busca se refugiar em sua casa. Acontece que o lobo, com um e dois sopros, consegue derrubar as casinhas confeccionadas apressadamente, ou seja, as casas de palha e de madeira. Então os dois porquinhos, desprotegidos, buscam guarida na casa de alvenaria do terceiro porquinho, cuja solidez o lobo não consegue demolir nem mesmo com seu mais forte sopro. Moral da história? É necessário esforço, sacrifício e tempo para se conseguir êxito e sucesso. Ansiedade, imediatismo, desespero e precipitação são inimigos das coisas bem feitas e duráveis. Não adianta *enfiar o pé*,[12] nem é saudável, afinal de contas, *de grão em grão a galinha enche o papo*, assim como *a pressa é madrinha do arrependimento*.

> *As tartarugas conhecem a estrada melhor do que os coelhos.*
> Khalil Gibran[13]

---
[12] Acelerar ao máximo.
[13] Filósofo e ensaísta libanês (1883-1931).

Filho de peixe peixinho é

> *O que o pai calou aparece na boca do filho,*
> *e muitas vezes descobri que o filho era*
> *o segredo revelado do pai.*
> Friedrich Nietzsche[1]

Transgeracionalidade

Não somos peixes apenas porque nossos pais eram peixes devido ao DNA e à hereditariedade biológica. Somos também herdeiros psíquicos geracionais na construção de nossa subjetividade. A transmissão psíquica intergeracional é um fenômeno que acontece em decorrência de outro fenômeno psicológico conhecido como identificação.

A identificação é um processo psicológico pelo qual assimilamos atributos e aspectos de uma pessoa externa para dentro do nosso psiquismo, e assim tais características do outro passam a se transformar em qualidades nossas.

Há uma pergunta que geralmente nos fazem na meninice que indaga *quantos lados tem uma bola*. A resposta é dois. O lado de dentro e o lado de fora. Analogamente, também podemos questionar: quanto lados tem o ser humano? A resposta é dois. O lado de dentro e o lado de fora. Visto dessa forma, compreende-se que o que está no interior do psiquismo é chamado de mundo interno, e o que está fora é chamado de mundo externo. Nosso mundo interno é composto de inúmeras representações psíquicas do que nos vem de fora. Por exemplo: uma

---

[1] Filósofo alemão (1844-1900).

pessoa hoje adulta lembra de sua primeira namorada, que teve aos 13 anos. Essa pessoa há décadas não a vê nem sabe nada dela. Porém carrega consigo a lembrança daquela mocinha um tanto magra e sardenta que tinha lindos cachos de cabelos aloirados, *grossos beiços*[2] e *quartos*[3] largos. Pois é, a lembrança daquela antiga namorada *bem afeiçoada*[4] é hoje uma representação mental.

Utilizando-nos de certo jargão da ciência da Psicologia, o que está fora do psiquismo é *objeto externo* e o que está dentro é *objeto interno*. Nesse sentido, quanto mais vivido for o indivíduo, mais objetos internos ele terá, pois, quanto mais experiência tiver no mundo externo (fora da psiquê), mais lembranças dessas experiências terá no mundo interno (dentro da psiquê).

Lembremos que o Id é a estrutura primal da mente humana. É a nossa base mental e fonte de toda a nossa energia psíquica. No principiar da existência não temos ainda uma estrutura chamada Ego. Este vai se construindo a partir do Id e representa a parte psíquica que lida com o mundo externo e a realidade.

Posto dessa forma, digamos que no início o psiquismo é oco de objetos internos, mas, com o desenrolar da vida e por meio das diversas experiências que o bebê e a criança vão tendo com os outros do mundo externo, vão se internalizando representações psíquicas de tais vivências (objetos internos). Nossos primeiros e mais significativos objetos externos são os pais ou quem exerce os papéis parentais. Podemos, assim, afirmar que o nosso primeiro objeto é a *mainha*,[5] isto é, a mãe.

Quando criança, as inaugurais identificações têm relação com os pais. Como afirmou Freud, "os efeitos das primeiras identificações efetuadas na mais primitiva infância serão gerais e duradouros". Por meio das relações afetivas e do apoio emocional dos pais para com os filhos, muito se irá internalizar na alma humana infante, como *encangado*.[6]

Pelo que já foi exposto, fica menos difícil entender a questão de como herdamos psicologicamente elementos psíquicos dos outros. Não são poucos os estudos dedicados à articulação da realidade psíquica individual com a realidade psíquica grupal.

Já nascemos herdando algo significativo e simbólico que sequer escolhemos: o nosso nome de batismo. Quem nomeia uma criança projeta nela desejos,

---

[2] Lábios.
[3] Quadril.
[4] Pessoa bela na aparência.
[5] Forma nordestina carinhosa de se chamar mãe.
[6] Uma coisa que anda junto de outra. Inseparáveis.

fantasias, sonhos e expectativas. De início, já somos uma espécie de porta-voz dos desejos que não nos pertencem, que são de outros, ou seja, *filhote de onça já nasce pintado*. Transmite-se, assim, certa continuidade evolutiva de uma geração à outra. Trata-se de uma transmissão (consciente e/ou inconscientemente) imposta em que o transmitido será recebido pelo filho em uma trama de internalizações e identificações que se fazem no complexo tecido dos laços familiares. Aquilo que é transmitido constitui a pré-história do sujeito humano. Por isso que se diz que *quem tem filho barbado é gato*.

Por ser o bebê um desamparado em termos gerais, o vínculo emocional entre a criança e seus genitores cria os fundamentos básicos dos processos mentais de identificação. Nesse sentido, podemos dizer que a personalidade se constitui a partir de uma série de identificações que o psiquismo humano vai assimilando em sua relação com os outros.

Ora, se o psiquismo infante vai se identificando com propriedades e atributos dos seus outros significativos, e se estes, por sua vez, também foram formados por meio do mesmo processo identificatório com seus pais, principalmente, então algo dos avós é passado aos filhos por seus pais, que foram filhos dos avós da criança. Há um antigo provérbio chinês cujo aparente paradoxo fala disso ao expressar que *nós não herdamos o mundo de nossos antepassados, nós o pegamos emprestado dos nossos filhos*.

Sabe quando muitas vezes dizemos "quando crescer quero ser como o papai ou a mamãe"? Pois é, não somos "a cara do pai ou da mãe" (isso é mais genético), mas também temos "o jeito do pai ou da mãe" (isso é mais adquirido). Na meninice, tendemos a copiar os pais por imitação ou identificação.

As experiências e vivências no seio familiar de um indivíduo em formação e desenvolvimento com as pessoas significativas de sua infância vão sendo gravadas no psiquismo quase como se fossem tatuagens. Essas experiências e vivências envolvem valores, cultura e moral das gerações anteriores, que influenciam o sujeito imperceptivelmente, fazendo parte, assim, de suas futuras decisões e escolhas afetivas, sexuais, profissionais, entre outras. A psicóloga Adriana Wagner, em seu livro *Como se perpetua a família: a transmissão dos modelos familiares*,[7] escreve: "[...] partimos, então, da ideia de que, em todas as famílias, ocorre a transmissão de padrões de uma geração para outra, e que a influência desses transmissores familiares no indivíduo independe da interação dele com a sua família". Não

---

[7] Adriana Wagner, *Como se perpetua a família*: a transmissão dos modelos familiares, Porto Alegre: EdiPUCRS, 2005, p. 26.

é à toa que se criou o adágio de que *quem sai aos seus não degenera*. Em outras palavras, *tal pai, tal filho*.

As histórias humanas se entrelaçam. Elas se comunicam e se transmitem muitas vezes sem sequer nos darmos conta. Na Psicologia chamamos de intersubjetividade, que é a consequência da vida social que possibilita a partilha de afetos, sentidos, experiências, ideias, comportamentos e conhecimentos. Transmite-se e herda-se de geração em geração (transmissão intergeracional). Todo um legado de nossos antepassados se perpassa em uma espécie de história não dita ou não falada. Isso acaba desembocando naquilo que cantava Belchior: *nós somos os mesmos e vivemos como nossos pais*.

> *Filhos são as nossas almas,*
> *Desabrochadas em flores*
> Florbela Espanca[8]

Superego

Como vimos no capítulo *A pressa é inimiga da perfeição*, nascemos psicologicamente amorais, isto é, sem conceitos ou valores morais e culturais. O desenvolvimento da moral psíquica forma uma terceira instância que, juntamente com o Ego e o Id, irá compor o psiquismo humano maduro: o Superego.

Se o Superego é uma instância psíquica que se desenvolve com o surgimento das questões morais dentro da mente, então o seu funcionamento, em grande parte, estará atrelado às exigências socioculturais internalizadas a partir das proibições, dos interditos e dos limites advindos, principalmente, das figuras parentais que, geralmente, são nossos primeiros agentes socializadores.

---

[8] Poeta portuguesa, que viveu entre os anos 1894-1930.

Com a formação da instância moral dentro do psiquismo, passa-se a ter noção de certo e errado. Trata-se de um fenômeno psicológico normal e relacionado ao crescimento psíquico que representa um substituto interno dos pais, ou seja, o Superego reproduz dentro da mente humana a autoridade parental inicialmente exercida a partir de fora (heteronomia[9]).

Se antes tínhamos apenas o Ego (parte da mente que lida com a realidade) para frear ou refrear os impulsos e pulsões irracionais advindos do Id, agora, com a formação do Superego, a mente humana possui outro aliado para conter e controlar o Id (repreensão moral sobre rompantes a arrebatamentos). Sim, *a união faz a força*.

Somente com uma estrutura ética e escrupulosa formada o psiquismo é capaz de produzir um sentimento inexistente no início da vida: a culpa. Nesse sentido, do ponto de vista intrapsíquico, o sentimento de culpa é a expressão afetiva de uma tensão entre o Superego e o Id que reflete no Ego. O Id (parte primitiva da mente) não sente culpa, porém o Ego (parte amadurecida da mente a partir do Id) sente. A culpa, portanto, é resultado do conflito entre o desejo e a moral. Em outras palavras, o sentimento de culpa surge simultaneamente com o Superego. A partir daí, a culpa passa a ocupar um lugar psicológico de destaque na articulação da vida psíquica individual com o convívio social. Sem sentimento de culpa, de remorso e de arrependimento, seríamos todos ou um enorme bebê em um corpo adulto, ou uma personalidade antissocial, comumente conhecida como psicopata.[10]

Evidentemente, todos nós, quando criança, necessitamos de pais para nos proteger, guiar e educar a viver em sociedade conforme seus valores socioculturais. Assim, normas, padrões comportamentais, valores, princípios, conceitos, convicções, visões de mundo e juízos vão sendo introduzidos na mente infante em seu processo de convivência familiar e educação.

Segundo Freud, a quem se deve o termo Superego, a formação moral e social do psiquismo se desenvolve em um período que ele chamou de *latência*.[11] O Superego atua psiquicamente como um juiz interior do Ego. Classicamente, o

---

[9] Pais, professores e figuras de autoridade que aprovam ou desaprovam o comportamento infantil. A heteronomia é a condição de submissão aos valores, regras e tradições transmitidos a partir de outra pessoa.

[10] Uma pessoa que sofre de psicopatia é aquela com reduzida ou nenhuma capacidade de empatia, remorso e culpa. Uma pessoa indiferente aos sentimentos do outro.

[11] É um período do desenvolvimento psicossexual que se dá aproximadamente entre 6-10 anos de idade, no qual ocorre uma diminuição da atividade sexual infantil.

Superego representa a interiorização das imposições e das interdições e proibições parentais. Freud frisava, ainda, que o Superego não se construía diretamente a partir dos modelos paternos/maternos, mas, sim, de acordo com o Superego destes. Por excelência, o Superego é, portanto, a parte psíquica responsável pela censura e pela repressão, principalmente em relação aos impulsos advindos do Id.

Para se viver em comunidade, é necessário haver consciência moral e valores compartilháveis. O sentido interditor do Superego nos faz sociáveis e partícipes de algo chamado Humanidade. Contudo, algumas pessoas formam seu Superego de maneira frouxa, e outras, de forma rígida e severa. Um Superego débil é um aliado frágil do Ego em sua luta com o Id. Por outro lado, um Superego intolerante, austero e inflexível esprime o Ego, tornando-o alvo de culpas e autoacusações constantes. Um Superego implacável é gerador de muito sofrimento psíquico.

O poder do Superego advém de sua capacidade de suscitar culpa, remorso, cobrança, vergonha, e até medo de sentir esses sentimentos ruins. Se, por um lado, isso é necessário para que o indivíduo possa se ajustar e conviver com as regras e os preceitos básicos da sociedade em que vive, por outro, pode torná-lo um tirano ou um déspota prepotentemente repressor e castigador. É igualmente necessário que o psiquismo tenha força egoica para não se ver esmagado por uma ditadura moral coercitiva capaz de dominar como um verdugo tirânico e incomplacente a personalidade do sujeito humano.[12] Sabe aquele ditado que diz que, *em briga de mar com a praia, quem paga é o caranguejo*? Pois é, em briga de Superego com Id, quem *paga o pato*[13] é o Ego.

Recapitulando, o Superego é uma espécie de órgão psíquico que se forma posteriormente ao nascimento e à primeira infância, a partir das identificações e introjeções do mundo humano que cerca o indivíduo. O Superego, assim, tem uma função psíquica cobradora, judicativa e censora na mente ou psiquismo de um indivíduo. No filme *Pinóquio*, de Walt Disney, produzido em 1940, temos o personagem do grilo falante, que simboliza a consciência crítica (senso crítico) de Pinóquio, uma criança de madeira que sonhava em ser um menino de carne e osso.

Decididamente, nosso psiquismo não é uma unidade coesa e harmônica. Muitas vozes dialogam em nossa cabeça, e muitas vezes até rivalizam e brigam.

---

[12] Pessoa extremamente perfeccionista e/ou autopunitiva é um exemplo de pessoa com um Superego severo. Uma pessoa emocionalmente saudável é aquela que possui um Ego capaz de equilibrar as demandas do Id com a severidade do seu Superego.

[13] Expressão popular que representa "arcar com as consequências".

Somos tripartites psicologicamente, isto é, estamos constantemente em conflito entre querer (Id), poder (Ego) e dever (Superego). O que existe psiquicamente dentro de todos nós é uma verdadeira *briga de cachorro grande*.[14]

> *O que distingue um adulto de um jovem é o sentimento de culpa.*
> Joel Neto[15]

---

[14] Expressão popular que tem o significado de briga entre forças poderosas.
[15] Escritor português nascido em 1974.

Galinha que acompanha pato morre afogada

O eu e o tu

Pato sabe nadar. Galinha, não. Não existem diferenças apenas entre patos e galinhas, mas também entre indivíduos humanos. Somos diferentes uns dos outros por vários motivos: herança genética, constituição física, temperamento e história de vida.

Somos díspares. Não há duas personalidades iguais. A personalidade é um conjunto de características psicológicas. Esse conjunto define a individualidade humana, ou seja, cada pessoa é uma pessoa, e cada pessoa é a qualidade de ser quem se é.

Não nascemos com a personalidade pronta. Ela é resultado de um processo gradual de construção humana ao longo do seu desenvolvimento biopsicossocial. Conforme expressou o psicólogo norte-americano Gordon Allport (1897-1967), *a personalidade é aquilo que um indivíduo é realmente, algo interno que guia e direciona todas as atividades humanas.* Ou seja, a personalidade é o jeito de ser de cada pessoa.

Todavia, não é porque cada um é de uma forma, e que a maneira de pensar, sentir e agir de um indivíduo não seja idêntica à do outro, que fiquemos ou vivamos *cada um na sua*.[1] O ser humano é, por natureza, um ser social. Somos, por excelência e essência, seres vinculares, isto é, nos desenvolvemos por meio de vínculos interpessoais,[2] que se iniciam na relação entre mãe e bebê e seguem pela vida inteira.

---

[1] Expressão que significa cada um no seu espaço.
[2] Um vínculo psicológico é a ligação afetiva entre duas ou mais pessoas. Trata-se de uma relação de apego mútua entre indivíduos que começa na inevitável ligação entre o ser humano bebê e seu objeto cuidador (mãe ou substituto). Sem essa relação primeva e primordial, não haveria

Somos animais sociais. Vivemos em grupos e em sociedade. Temos que conviver com pessoas diferentes de nós, com personalidades e jeitos de ser distintos, às vezes muito distintos. Somos fadados por natureza a coexistir com o outro. É claro que há situações raras e insólitas, como no caso de um náufrago em uma ilha deserta. Ainda assim, são situações fortuitas, mas uma pessoa náufraga já não é mais um bebê ou uma criança de tenra idade. Embora esteja acidentalmente sozinha, ela já foi socializada anteriormente.

Conforme observou o filósofo grego Aristóteles (384-322 a.C.), o homem necessita da comunidade para buscar se completar, pois é um ser carente e imperfeito. Por isso, dizia ele, *o homem é um animal político*.[3] Assim, não podemos ser privados de sociedade, seja ela macro ou micro. Não é à toa que temos o dom da fala e que nos comunicamos através dela. Lembremos que *quem bem ouve bem responde*.

A questão agora é: viver e conviver com as diferenças. Reconhecer e aceitar que somos diferentes nos é vital ao bom convívio e contato interpessoal. Quando não sabemos lidar com as diferenças ou aceitá-las, geramos inúmeros problemas e conflitos sociais e humanos. É preciso entender que o outro não é igual a mim. Que podemos ter alguns ou muitos pontos de vista e valores em comum, mas que também há algumas ou muitas dessemelhanças. Não é porque discordo de alguém que não devo respeitar nossas diferenças individuais. Contudo, sabemos que isso não é assim tão fácil. Há em cada um de nós uma certa resistência em lidar com o diferente, da mesma forma que temos dificuldades para lidar com as mudanças. Nascemos egocêntricos, ou seja, o psiquismo infante e imaturo se acha o centro do mundo que o cerca. O pensamento infantil de uma criança ainda pequena não sabe organizar seu ponto de vista com o do outro. Por isso é tão difícil que uma criança na primeira infância (anos iniciais) compartilhe seu brinquedo com outra criança, por exemplo.

Embora a posição egocêntrica seja uma espontaneamente infantil, de alguma forma continuaremos carregando resíduos psíquicos de nossas origens mentais. Até mesmo quando adultos, temos certa dificuldade em aceitar que os outros pensem diferente de nós. E isso não acontece somente em termos psicológicos individuais, mas também em termos coletivos e grupais. Também sofremos de

---

sobrevivência, haja vista o bicho homem nascer desaparelhado a ele mesmo sozinho manter sua própria subsistência e auto sustento.

[3] *Pólis*, em grego, significa cidade. A expressão *o homem é um animal político*, portanto, representa a nossa natural necessidade de viver em conjunto com outros seres humanos.

miopia ou cegueira etnocêntrica. Etnocentrismo é um termo da Antropologia que faz menção à visão de determinado grupo ético que se considera o centro de tudo, isto é, seus valores, sua cultura, suja raça são melhores e mais importantes que outros. A visão etnocêntrica, consequentemente, desrespeita, deprecia e não tolera quem lhe é diferente, como no caso do racismo e da xenofobia,[4] por exemplo. Pessoas intolerantes têm, pois, muita dificuldade de se comunicar. Dois intolerantes juntos normalmente não se entendem, e cada um quer *puxar a sardinha para o seu lado*.[5] Pessoas assim tendem a *ficar de mal*[6] facilmente. Em outras palavras, *dois bicudos não se beijam*.

Ninguém é igual a ninguém. Todo ser humano é um estranho ímpar, já afirmava o poeta Carlos Drummond de Andrade. Sim, o outro, de alguma forma, é para mim o diferente. O reconhecimento dessa diferença é a tomada da consciência da alteridade. E é exatamente porque o outro nos é diferente que ele pode tanto nos atrair quanto nos amedrontar. Por isso que muitas vezes queremos domá-lo ou modificá-lo, embora nem sempre de maneira consciente. Vejamos.

Todos, em sã consciência, sabemos e dizemos que *errar é humano*, ou que *ninguém é perfeito*. Contudo, quando alguém erra ou falha conosco, nos irritamos. Quando nós mesmos erramos, acabamos nos criticando e nos condenando. Estamos sempre querendo que o outro mude, que seja o que queremos que ele seja (nosso ideal). Estamos aqui e acolá cobrando perfeição dos demais ou de nós mesmos. Até parece que não somos humanos e imperfeitos. Ou será que queremos ser deuses e divinos?

Como parece difícil sermos empáticos, *ver o mundo com os olhos do outro, e não o nosso mundo refletido nos olhos do outro*.[7] Colocar-se psicologicamente no lugar do outro, tentar pensar como o outro pensa e tentar compreender o que o outro sente são exercícios mentais de uma mente amadurecida e evoluída. Saber ouvir e interpretar o outro é uma habilidade intelectual e sensitiva que só uma mente próspera e maturada pode fazer. Como diz um provérbio árabe: *quem não compreende um olhar, tampouco entenderá uma longa explicação*. E, aqui para nós, sabemos que, *quando um não quer, dois não brigam*.

---

4   O racismo é um conjunto de crenças que estabelecem uma hierarquia de uma raça sobre outra. A xenofobia é a desconfiança, a antipatia, ou até mesmo o temor e o ódio por estrangeiros.
5   Locução que significa que cada parte quer levar vantagem exclusivamente em proveito pessoal.
6   Deixar de falar com o outro.
7   Expressão dita pelo psicólogo estadunidense Carl Rogers (1902-1987), desenvolvedor da psicoterapia não diretiva denominada Abordagem Centrada na Pessoa.

> *"Adoramos a perfeição, porque não a podemos ter;*
> *repugná-la-íamos se a tivéssemos.*
> *O perfeito é o desumano, porque o humano é imperfeito."*
>
> Bernardo Soares[8]

Autoaceitação

Outro viés que nos ensina o dito "galinha que acompanha pato morre afogada" é a questão da autoaceitação. Existem galinhas que não gostam de ser galinha e querem ser pato, isto é, há pessoas que não se aceitam como são e querem ser o que não são.

Querer ser quem não se é gera muitos sofrimento e frustração. Querer melhorar quem você é ou mudar a forma como você se vê e se apresenta ao mundo é saudável, mas querer modificar a sua essência, não.

Quem não se aceita, se rejeita. Quem se rejeita, não se ama. Quem não se ama, não tem uma boa autoestima. Quem não tem uma boa autoestima, não é feliz. Quem não é feliz, se atormenta. Quem se atormenta, padece. Quem padece, adoece. A autoaceitação é um oxigênio puro para a alma humana, livre de toxidades psicológicas. Da mesma forma que, se uma galinha andar com um pato pode morrer afogada, *passarinho que voa com morcego dorme de cabeça para baixo*.

Há pessoas que não se acham bonitas (ou seria melhor dizer belas?), porém não percebem que feio é querer ser o que não se é. Tem aquele que não suporta seus próprios erros, defeitos e imperfeições. Conforme questionado anteriormente,

---

[8] Heterônimo do poeta português Fernando Pessoa em *O livro do desassossego*.

no fundo, que o queria era ser divino. Quem anseia ser perfeito o tempo todo, vai passar por incontáveis crises e tormentos pessoais. Ainda há quem queira ser sempre o queridinho, aceito e amado pelas outras pessoas. Para tanto, este se veste como um personagem que não é, anulando-se como sujeito. É como nos versos de Fernando Pessoa:

> "Fiz de mim o que não soube,
> E o que podia fazer de mim não o fiz.
> O dominó que vesti era errado.
> Conheceram-me logo por quem não era e não desmenti, e perdi-me.
> Quando quis tirar a máscara,
> Estava pegada à cara.
> Quando a tirei e me vi ao espelho,
> Já tinha envelhecido.
> Estava bêbado, já não sabia vestir o dominó que não tinha tirado.
> Deitei fora a máscara e dormi no vestiário
> Como um cão tolerado pela gerência
> Por ser inofensivo
> E vou escrever esta história para provar que sou sublime."[9]

Nosso psiquismo é originariamente narcisista. A psiquê imatura de um bebê se acha. Se acha tudo para a mãe, se acha o centro do mundo. Tudo ilusão. Ilusão de uma mente que demora para compreender a realidade de si, do mundo e da vida. É costumeiro afirmar que somos animais racionais (*homo sapiens*). De fato, somos dotados da capacidade de pensar racionalmente, embora não sejamos assim no primitivismo de nossos rudimentares pensamentos, que sequer são verbais ou linguísticos. O psicólogo suíço Jean Piaget, estudioso da gênese do pensamento psicológico, denominou o primeiro período do pensamento humano de *sensório--motor* (do nascimento até os 2 anos de idade). Assim o chamou porque, nesse período do desenvolvimento, o psiquismo infante percebe o mundo e a si mesmo pelas sensações vivenciadas. Essas percepções sensoriais levam o bebê a construir a ilusão de sua onipotência – o que Freud chamava de *sua majestade, o bebê*. O mundo externo de um recém-nascido parece ser apenas um prolongamento de si mesmo. Quando a mente sai dessa posição autista (*autismo normal*[10]), o bebê

---

[9] Trecho do poema "Tabacaria" (1928).
[10] Expressão criada pela psiquiatra e psicanalista infantil norte-americana de origem húngara Margaret Mahler (1897-1985) para referir o estágio inicial do nascimento psicológico de uma

percebe gradualmente a existência de um mundo externo separado dele, mas ainda se ilude ao acreditar que o mundo que lhe cerca existe somente para ele (egocentrismo).

Não é porque crescemos, amadurecemos e nos tornamos adultos que não persistam no fundo do psiquismo humano resquícios ou vestígios dessa fase originária da mente em que nos achávamos em plenitude. Esse componente psíquico é designado de Ego Ideal.[11]

Pelo exposto anteriormente, podemos compreender por que a mente se cobra tanto perfeição. É como se o Ego Ideal jamais aceitasse o Ego Real com suas imperfeições, falhas, insuficiências e incompletudes. Quanto mais forte for o Ego Ideal sobre o Ego Real, maior será a insatisfação que o sujeito terá de si consigo mesmo.

Isso nos faz lembrar da história de O Patinho Feio. Certo dia, nasceu um grupo de pequenos patinhos, sendo que um deles era diferente dos demais. Todos o estranharam e ele passou a se considerar um patinho feio. Quanto mais ele crescia, mais diferente ficava dos outros patos. E mais feio ele se achava. Até que um dia, enquanto nadava, ele viu um cisne no lago. E, olhando para sua própria imagem refletida na água, pôde compreender que ele não era um patinho feio, na verdade, nem pato ele era. Era um lindo e belo cisne. Pois é, quem não se aceita acaba se achando feio. Mas não é porque se é diferente dos demais ou da maioria que o indivíduo seja feio propriamente dito. Ser diferente das outras pessoas ou diferente do que se gostaria de ser, não faz de ninguém alguém de fato feio.

Quem não se aceita, jamais atingirá a autorrealização, sequer chegará perto dela. A autorrealização é a tendência que há em nós de desenvolver todas as nossas possibilidades no espaço de existência que temos. Significa crescer como pessoa. Tem a ver com o desejo de sermos mais e mais o que somos, para nos tornar tudo o que podemos ser. Uma pessoa que se sente realizada, tem percepção realística de si mesma e, com isso, desenvolve um senso de compromisso e responsabilidade consigo mesma, pois tem o desejo contínuo de ser tudo o que pode ser. Como, então, desenvolver nossas próprias potencialidades se não

---

criança. Segundo Mahler, é a fase em que predomina a absoluta falta de consciência da existência do objeto externo (mãe). René Spitz (1887-1974), psicanalista austro-americano, por sua vez, chamava *de fase anobjetal* (incapacidade de um recém-nascido distinguir-se do mundo que o circunda). Já Freud utilizava-se do termo *narcisismo primário*.

[11] O Ego Ideal é considerado o herdeiro psicológico do "autoamor" (narcisismo primário) que o ego rudimentar infantil usufruía na infância. É uma espécie de modificação que sofre o narcisismo primário, que se transforma em uma instância psíquica (Ego Ideal).

formos capazes de nos aceitarmos em nossos próprios limites? Ter limites não nos torna pessoas limitadas no sentido diminuto, mas nos mostra que, dentro dos nossos limites e imperfeições, temos potencialidade para sempre irmos um pouco além do que fomos e somos até então. *Quem avisa amigo é.*

> *E se me achar esquisita,*
> *respeite também.*
> *Até eu fui obrigada a me respeitar.*
> Clarice Lispector[12]

Assertividade

Onde vai a corda, vai a caçamba, diz um dito corriqueiro. Pois é, nem todo mundo pensa ou age assim. Há quem seja *Maria vai com as outras*, que são aqueles que não demonstram identidade pessoal, não têm opinião ou vontade própria. No jargão popular, se diz que "não têm personalidade", embora todo ser humano tenha, cada um, sua personalidade. "Não ter personalidade" significa se deixar convencer facilmente, ser levado ou conduzido por outrem. Ou, como se diz por estas bandas nordestinas, uma pessoa que *vive andando à toa*.[13]

---

[12] Considerada uma das escritoras brasileiras mais importantes do século XX. De origem ucraniana, nasceu em 1920, tendo falecido no Rio de Janeiro em 1977.

[13] Toa é uma corda com a qual uma embarcação reboca a outra. Popularmente, então, a expressão andar à toa representa uma pessoa sem determinação, que é levada por outra. Outro sentido também pode ser "sem leme e sem rumo", ou seja, uma pessoa que anda sem destino.

Pois é, galinha que não quer morrer afogada não anda com pato, da mesma forma que passarinho não acompanha morcego. Quem anda com gente baderneira algum dia vai se encontrar em meio a uma baderna. Quem anda com pessoas briguentas um dia vai se meter em uma briga. Quem vive com gente complicada e que se mete em confusão vai se ver um dia em uma situação complicada ou em confusão. Mais do que *olha com quem andas que te direi quem és*, é: *olha com quem andas e te direi aonde vais chegar*, pois *quem se mistura com porcos farelo come*.

Por que isso acontece? Em grande parte, deve-se à ausência de assertividade. Assertividade de ser afirmativo ou positivo. E o que isso significa? Significa que uma pessoa assertiva é uma pessoa autoconfiante, com competência emocional, que sabe quem é e o que quer, que demonstra segurança em afirmar seu eu e que sabe assumir as rédeas de sua vida. Não *fica em cima do muro*.[14] Sabe se assumir.

Psicologicamente falando, a assertividade é a forma habilidosa da expressão tanto dos sentimentos quanto de pensamentos e necessidades, sem com isso agredir ou prejudicar o outro. Não nascemos assertivos. A assertividade se desenvolve ou se aprende ao longo da vida.

Anteriormente falávamos sobre a autoaceitação. Quem tem dificuldade em se aceitar também terá dificuldade em ser assertivo, bem como em regular suas emoções e ter autocontrole sobre seus impulsos, como aqueles que apresentam um Transtorno de Personalidade Emocionalmente Instável.[15]

É comum que o jovem, em sua luta rumo à independência e à autonomia, busque segurança não mais nos pais, mas em outros jovens, procurando ser aceito dentro desse grupo. É uma etapa normal do desenvolvimento psicológico humano. Porém, quem, por alguma razão, não consegue superar essa fase, tenderá a se desenvolver de maneira inibidora, sem conseguir consolidar sua própria identidade. Tenderá a agir sempre para agradar quem o rodeia, com receio ou medo de rejeição (*vide* tópico *Verdadeiro e falso self* a seguir).

Indivíduos com "falta de personalidade", na verdade, são excessivamente tímidos, suas decisões são sempre influenciadas por outras pessoas, faltando-lhes capacidade de ação e tomada de iniciativa. Como se diz vulgarmente, *quem agrada muito as pessoas não tem personalidade*. São tão silenciosamente calados

---

[14] *Ficar em cima do muro* representa não tomar partido, não assumir responsabilidade.
[15] Personalidade que manifesta tendência a agir impulsivamente, sem considerar as consequências, e que tem um humor instável e imprevisível. A Classificação Internacional das Doenças (CID-10) subdivide o Transtorno de Personalidade Emocionalmente Instável em dois tipos: impulsivo e boderline.

em suas emoções, ideias e pensamentos, que até parecem ocos por dentro. *Quem não chora não mama.*

Considerando o sentido médico e psicológico, são personalidades diagnosticadas com Transtorno de Personalidade Dependente, ou seja, personalidade passiva e astênica.[16] Uma organização de personalidade dependente, como o próprio nome refere, é caracterizada por uma dependência exagerada, baixa autoestima e medo abundante de ser abandonada, com submissão apática às vontades do outro. Tem dificuldade de expressar suas próprias necessidades e vontades. Essa forma insegura de vinculação provavelmente é resultado de apego aos pais advindo da infância. Fatores biológicos também não podem ser de todo descartados.

Alguns estudos apontam um padrão de apego emaranhado, ou seja, pessoas que cresceram com pais que, consciente ou inconscientemente, transmitiam que a independência era cheia de perigos e riscos. Decididamente, a *criança é o pai do homem.*[17]

Eu posso, portanto, eu sou.
Simone Weil[18]

---

[16] Em latim, astenia significa fraqueza.
[17] Expressão do poeta inglês William Wordsworth (1770-1850).
[18] Filósofa francesa (1909-1943).

Verdadeiro e falso self

Baixa assertividade demonstra um comportamento inibido, tímido e defensivo. O indivíduo edifica a passividade como uma couraça para lidar com a vida e o mundo. Por isso, concomitantemente, tem um déficit de habilidade social. Ao se esconder atrás de uma armadura de passividade, esconde (ou aprisiona) o seu verdadeiro self.[19] Por isso, quem é galinha, mas anda com pato, acaba morrendo afogada, isto é, morre-se a verdadeira pessoa e o sujeito que ele poderia ser.

Para Winnicott, o self verdadeiro é o Eu que se é, que se constrói a partir da utilização de seus potenciais inatos. Pensando dessa forma, não é um verdadeiro self por completo, pois sempre haverá algo do outro (do seu desejo) e da cultura em cada um de nós. Afinal, nós nos desenvolvemos por meio da experiência que vai sendo armazenada dentro de nossa memória.[20] Como escreveu o poeta brasileiro Murilo Mendes (1901-1975): "[...] me colaram no tempo, me puseram uma alma viva e um corpo desconjuntado. Estou limitado ao norte pelos sentidos, ao sul pelo medo, a leste pelo Apóstolo São Paulo, a oeste pela minha educação". Mesmo assim, quanto mais conseguimos ser conforme a nossa realidade, e não como queremos ser ou como os outros querem que sejamos, mais saudáveis estamos psicologicamente.

Desde cedo, o ser humano lactente participa com o seu objeto cuidador (mãe) de uma unidade (simbiose[21]). Essa unidade funciona como uma espécie de energia vital que nos faz progredir e crescer psicologicamente. Quando o indivíduo tem uma mãe sintonizada com seu bebê, isso favorece o amadurecimento do self em suas verdadeiras potencialidades. Todavia, se a mãe for mais voltada às suas necessidades narcísicas e não às de seu filho, este se desenvolve no sentido de atendê-la em vez de crescer como uma continuidade de si mesmo. A imagem criada por Winnicott a respeito do assunto foi de um crescimento pela *casca* (falso self), enquanto o *núcleo do ser* fica inibido e não consegue se

---

[19] Para o psicanalista britânico Donald Winnicott (1896-1971), o *verdadeiro self* é o sentir-se real e autêntico dentro de si. O *falso self*, portanto, é uma espécie de pseudopersonalidade, na qual o sujeito não é sujeito de si, mas objeto do desejo do outro.

[20] Como disse certa vez o filósofo espanhol Ortega y Gasset (1883-1955), "a cultura é uma necessidade imprescindível de toda uma vida, é uma dimensão constitutiva da existência humana, como as mãos são um atributo do homem".

[21] Simbiose é um termo em Psicologia utilizado para descrever a relação de dependência emocional entre indivíduos (no caso do bebê em relação à sua mãe). É uma fase normal do desenvolvimento psíquico humano e que deixa de ser normal se perdurar com o crescimento do bebê.

desenvolver pelo que ele é. Em outras palavras, a personalidade que se forma é uma pseudopersonalidade (*vide* capítulo *Quem vê cara não vê coração*), pois o que o indivíduo expressa de si mesmo é muito mais o que ele recebeu, como pressões intrusivas vindas dos outros, e não a sua própria singularidade. Como diz a sabedoria popular, *parecer sem ser é fiar sem tecer*.

Com a palavra, Winnicott:

> A mãe que não é suficientemente boa não é capaz de complementar a onipotência do lactente, e assim falha repetidamente em satisfazer o gesto do lactente: ao invés, ela o substitui por seu próprio gesto, que deve ser validado pela submissão do lactente. Essa submissão por parte do lactente é o estágio inicial do falso self, e resulta da inabilidade da mãe de sentir as necessidades do lactente.[22]

Se há um provérbio que afirma que *à mulher de César não basta ser honesta, deve parecer ser honesta*, o oposto para nós aqui também tem lá sua verdade, afinal não basta parecer honesto, mas ser de fato honesto. Decididamente, há muitas pessoas por aí que fingem ser o que não são, algumas de forma proposital (que dão *abraço de tamanduá*[23]) e outras por terem crescido pela casca do ovo e não pela gema.

Todos julgam segundo a aparência, ninguém segundo a essência.
Friedrich Schiller[24]

---

[22] Donald Woods Winnicott, *O ambiente e os processos de maturação*, Rio de Janeiro: Ed. Imago, 1990, p. 133.
[23] Locução popular que se refere a uma pessoa falsa.
[24] Poeta e filósofo alemão (1759-1805).

Barata sabida não atravessa galinheiro

Fecha os olhos para não seres cego.
Vergílio Ferreira[1]

Senso crítico

Diz um dito popular: *em terra de cego, quem tem olho é rei.*

Somos *homo sapiens*, ou seja, somos dotados da capacidade de pensar, de raciocinar. Nesse sentido, todos pensamos. A questão é: nem todos pensam os próprios pensamentos. O que isso quer dizer? Quer dizer que nem sempre refletimos sobre o que pensamos. Etimologicamente, refletir vem do latim *reflectere*, que significa *re* (voltar) e *flectere* (curvar), isto é, curvar-se sobre o que já existe, ou, mais precisamente, concentrar o psiquismo sobre si mesmo, suas representações, suas ideias e pensamentos, e sobre seus sentimentos. Popularmente, se diz que *os sábios não dizem o que sabem, e os tolos não sabem o que dizem.*

A inteligência é uma habilidade cognitiva, ou seja, é a capacidade mental de raciocinar, planejar, resolver problemas, abstrair, compreender e aprender. É um processo cognitivo superior e complexo, pois envolve outros processos psíquicos, dentre eles a memória, a atenção, a percepção, a imaginação e a linguagem. Quem pensa, fala. E quem assim fala, fala dentro de sua cabeça. Afirmava Aristóteles que "o ignorante afirma, o sábio duvida, o sensato reflete".

A consciência e a inteligência andam juntas. Como amigas inseparáveis, a inteligência mostra à consciência o significado das coisas. A inteligência é uma

---

[1] Escritor português (1916-1996).

faculdade que, se bem usada, nos faz mais inteligentes. Como dizia Freud, a inteligência é o meio que temos para dominar nossos instintos. Se assim não fosse, seríamos como naquela fábula de Esopo,[2] em que o escorpião pede para que a rã lhe ajude a atravessar um rio carregando-lhe nas costas. A rã se nega dizendo que, se assim o fizer, o escorpião irá lhe picar. Porém, este retruca afirmando que, por não saber nadar, se lhe picar, ambos morrerão afogados. Então a rã aceita carregar o escorpião e atravessar o rio. No meio da jornada, a rã sente uma picada. E, estupefata, exclama: "por que você me picou? Ambos vamos morrer!". E responde o escorpião: "Não pude fazer nada, essa é a minha natureza". Sim, o instinto é cego. A inteligência enxerga e é flexível.

Se pensamos, o que acontece quando pensamos o que pensamos? A reflexão é um pensamento de segunda ordem, isto é, é um pensamento que questiona, pondera e raciocina a própria razão. Quem reflete reconhece o seu estado cognitivo (metacognição[3]).

O senso crítico é nossa capacidade mental de questionar e analisar racionalmente. Pensamento que não se pensa é um pensamento sem pensador. Somos, ao longo da vida, impregnados de ideias e pensamentos que nos vão sendo inculcados de maneira irreflexiva, formando, assim, inúmeros preconceitos ou preconcepções (conceitos que não passaram pela reflexão).

Não basta termos desejo, é necessário avaliar sua viabilidade. Aquele que padece de reflexão, expõe-se mais facilmente ao risco ou ao vexame. O senso crítico, portanto, é função do Ego.

Lidamos com inúmeras situações no dia a dia. Se não analisarmos e apenas *fizermos o que der na telha*, corremos o risco de nos estreparmos. Já imaginou fazer tudo o que se quer sem medir as consequências? Pagaríamos um preço muito alto. É o que acontece com pessoas que sofrem de Transtorno de Personalidade Borderline.[4]

O senso crítico funciona também como uma espécie de autocontrole por ponderação. A perda do juízo crítico também é uma característica do surto psicótico, quando o indivíduo fica comprometido em sua capacidade de avaliar a realidade. Por isso, popularmente dizemos que o *sujeito perdeu a cabeça, perdeu o juízo*.

Também é comum se afirmar que *o amor é cego*. Na verdade, o que nos cega é a paixão. Apaixonados, diminuímos significativamente nossa capacidade de

---

[2] Escritor grego (620 a.C.-564 a.C.).
[3] Automonitoramento cognitivo.
[4] Caracterizado, entre outros sintomas, por comportamentos impulsivos e muitas vezes perigosos, além de comportamentos autodestrutivos e dificuldade de controlar a raiva.

discernimento, sensatez e prudência. Apaixonados, somos capazes de muitas loucuras. Como se diz aqui no Nordeste, a pessoa apaixonada fica *abestada*.[5]

Graças ao exercício mental do senso crítico, podemos nos livrar de pensamentos e atitudes infantis, diminuindo a influência das ilusões sobre nós.

Sem senso crítico, podemos ser levados a acreditar que *cavalo dado não se olha os dentes*. Cuidado! Os troianos aceitaram de presente dos gregos um cavalo de madeira, e dentro dele havia soldados que se aproveitaram da noite, quando todos estavam dormindo, para atacar a cidade de Troia.[6] Quem mandou não se olhar os dentes do cavalo? Sim, é como ensina outro dito popular: *esmola demais, o cego desconfia*.

Dizem também que *quem pensa não casa*. Não sejamos tão literais assim. Quem pensa pode até casar. Todavia, casa com mais qualidade, isto é, não casa com qualquer um. Casar representa dar um passo importante na vida, razão pela qual devemos usar a razão. Afinal, pensar é abrir espaços na mente para novos conteúdos e significações. Como diz o poeta, *sentimento que não se pensa é cego*.

Refletir é desarrumar os pensamentos.
Jean Rostand[7]

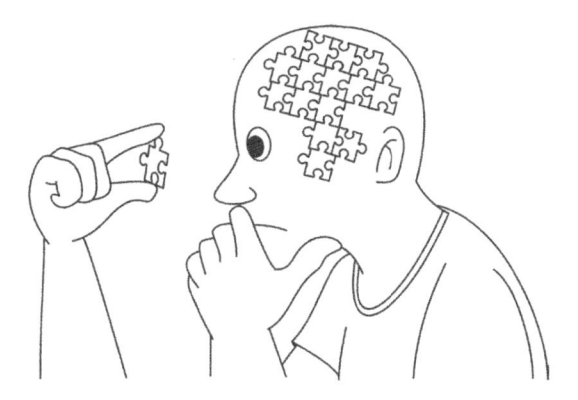

---

[5] Tola.
[6] Lenda da Grécia Antiga.
[7] Escritor francês (1894-1977).

Quem vê cara não vê coração

Persona

Realmente *as aparências enganam*, da mesma maneira que *não se pode julgar um livro pela capa*. As palavras personalidade e personagem têm a mesma raiz etimológica latina *persona*. *Persona* se refere àquelas máscaras do teatro antigo que se utilizam para dar ao ator a aparência que o papel a ser interpretado exigia.

O poeta e cantor brasileiro Cacaso (1944-1987) compôs a música *Dentro de mim mora um anjo*, cujos versos iniciais eram: *Quem me vê assim cantando/não sabe nada de mim*. É, quem vê cara não vê coração.

Vestimos máscaras sociais. Porém, não devemos confundir as máscaras que usamos nos vários papéis que representamos na vida com quem realmente somos. Não somos, necessariamente, quem pensamos que somos, mas também não somos o que os outros pensam que somos. Como escreveu o poeta português Mário de Sá-Carneiro (1890-1916), *eu não sou eu nem sou o outro/sou qualquer coisa de intermédio*.

A máscara (*persona*) que vestimos também nos ilude. Acreditamos muitas vezes que somos como nossas máscaras. Mas nem sempre somos. O psiquiatra e psicanalista suíço Carl Jung (1875-1961) nomeou como *persona* a parte do psiquismo responsável pela interação entre o Ego e o campo social. Como dizia ele, a *persona* é um tipo de máscara projetada para causar uma impressão nos outros e, ao mesmo tempo, esconder a verdadeira natureza do ser do indivíduo. Uma espécie de personagem que criamos e que pode não coincidir com quem de fato se é (*quem me vê assim cantando/não sabe nada de mim*). Nossas máscaras, portanto, são papéis que representamos, até mesmos para nós mesmos. É muito comum confundirmos quem nos habituamos a ser com quem somos. Ou, como afirma uma máxima difundida nas ruas, *o uso do cachimbo faz a boca torta*.

> Fiz de mim o que não soube,
> E o que podia fazer de mim não o fiz.
> O dominó[1] que vesti era errado.
> Conheceram-me logo por quem não era e não desmenti, e perdi-me.
> Quando quis tirar a máscara,
> Estava pegada à cara.
> Quando a tirei e me vi ao espelho,
> Já tinha envelhecido.
> Estava bêbado, já não sabia vestir o dominó que não tinha tirado.
> Deitei fora a máscara e dormi no vestiário
> Como um cão tolerado pela gerência
> Por ser inofensivo.
> Fernando Pessoa[2]

Autoimagem e autoconceito

Muitas pessoas tendem a misturar quem se é com quem se acostumou a ser. Muito do que somos é uma construção ao longo da existência edificada em hábitos e convenções. Pensar que somos a própria máscara é meio caminho para nos perdermos em nós mesmos. A autoconsciência que temos de nós é apenas uma parte do todo que somos. E somos contraditórios. E somos imperfeitos e incompletos. Na maioria das vezes, até incongruentes e paradoxais. Somos, inclusive, passíveis de distorções em relação a nós mesmos.

---

[1] Fantasia de palhaço utilizada nos carnavais portugueses.
[2] Trecho do poema "Tabacaria".

Nossa autoimagem vem se construindo desde cedo, junto com a construção da personalidade. O psicólogo norte-americano William James (1842-1910) descrevia o conhecimento que o indivíduo tem de si mesmo (self) como autoimagem. Ou seja, a autoimagem é a descrição que a pessoa faz de si. É como o indivíduo se vê; não no espelho do banheiro, mas no espelho da alma. Essa imagem que se faz de si mesmo é fundamental para a vida emocional e psíquica como um todo.

Mas devemos confiar plenamente em nossas mentes? Nem tanto, afinal, a mente mente. Mente porque se ilude. Mente porque se imagina. Mente porque se autoengana. Mente porque o que ela faz é interpretar a realidade sob o efeito de nossas emoções, sentimentos, desejos e fantasias. Não é à toa que comumente se diz que *nem sempre o que parece é*.

Certa vez, quando ainda menino, tive a oportunidade de assistir a uma sessão de hipnose. O hipnotizador levou um voluntário, por meio de recursos de relaxamento, a entrar em transe hipnótico. Posteriormente, pediu que o hipnotizado estendesse a mãe e em sua palma colocou um palito de fósforo, passando, então, a sugerir que o palito de fósforo pesava um quilo, dois quilos, três quilos... vinte, trinta, cinquenta quilos. E lá estava o hipnotizado com a mão no chão. Desde cedo, portanto, constatei que, se uma mente acredita que um palito pesa uma tonelada, para ela, um palito pesa uma tonelada.

A autoimagem tem poder. Poder de influenciar nossa autoestima e de nos fazer acreditar em algo que muitas vezes não é totalmente verdadeiro, porém crenças que foram plantadas dentro de nós e que muito nos determina ou nos conduz. Nossas crenças básicas nem sempre são tão apropriadas. Por exemplo, se um indivíduo foi criado e educado por um pai austero, severo e muito exigente, que vivia lhe dizendo desde criança que ele não daria para nada, que não valia nada, isso pode gerar uma autoimagem negativa. É como se a criança crescesse com aquelas implacáveis desaprovações e desqualificações batendo em sua cabeça feito um martelo psíquico. Atribui-se ao nazista alemão Joseph Goebbels (1897-1945), ministro da propaganda no III Reich (1933-1945), a seguinte expressão: *uma mentira contada várias vezes se torna uma verdade*. Sim, há um provérbio que reitera que *a mentira é como uma bola de neve; quanto mais rola, mais engrossa*.

Psicologicamente, a autoimagem vai se formando desde a primeira infância, como resultado de uma sucessão de vivências da criança com seu ambiente. Quando estruturada dentro do psiquismo, define em grande parte nosso comportamento contemporâneo. Podemos dizer que a autoimagem é o núcleo de nossa personalidade e individualidade.

Não são poucas as maneiras que a mente humana tem de distorcer sua autoimagem, como ocorre na anorexia e na dismorfia corporal. Na anorexia, que é um transtorno psiquiátrico alimentar, a autoimagem corporal é alterada ou adulterada. Uma pessoa com anorexia, por mais magra que realmente esteja, se vê como se estivesse com mais peso. Já na dismorfia, outro transtorno psiquiátrico, a pessoa distorce psicologicamente a imagem corporal e é incapaz de reconhecer de maneira realística o tamanho e a forma de seu corpo. São doenças da alma, mas também são doenças do cérebro. Diz o dito que *a mentira dá flores, mas não frutos*.

Às vezes nos sabotamos, criando impedimentos que podem restringir nossa possibilidade de êxito na vida ou em determinadas situações. Isso pode ocorrer como uma forma de os atos ou comportamentos corresponderem à nossa autoimagem. Temos como exemplo um indivíduo que se vê (autoimagem) de maneira derrotista, isto é, quem se acha um fracassado, pode se autossabotar indo para o bar à noite beber com os amigos quando na manhã seguinte tem uma prova de concurso para fazer, como refere o professor de psicologia na Universidade de Iowa (EUA) David Myers (1942 -)[3] ao determinar tais comportamentos autossabotadores como *autoimpedimento*. No autoimpedimento as pessoas se colocam em desvantagem, haja vista seus resultados comportamentais buscarem condizer com suas autoimagens distorcidas pelo próprio autoimpedimento. É como se dissessem: "tá vendo como sou um fracasso? Fracassei de novo". *Às vezes são precisas muitas mentiras para sustentar uma*.

Em resumo, a autoimagem se revela na nossa personalidade e comportamento. É uma espécie de retrato que fazemos de nós mesmos. Uma verdade que temos e na qual acreditamos, e isso performa nosso estar na vida e nas situações. Se mudarmos nossa autoimagem, também mudaremos nosso estar-no-mundo.

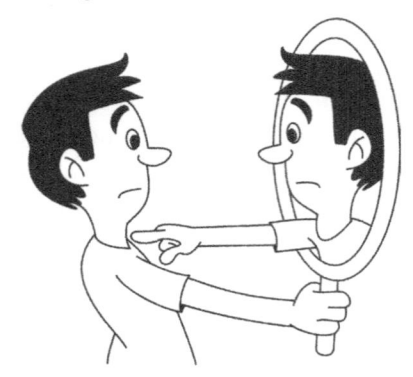

---

[3] Em seu livro *Psicologia social*, 10. ed., Porto Alegre: AMGH, 2014.

Quando temos uma autoimagem, também temos uma opinião sobre nós. A isso chamamos de autoconceito. O autoconceito e a autoimagem estão tão relacionados entre si que até se confundem. A principal diferença é que, enquanto a autoimagem é como a pessoa se vê, ou seja, uma autodescrição, o autoconceito é uma opinião ou uma ideia que ela tem de si mesma. Digamos, então, que o autoconceito representa um mosaico multifacetado do self.

O autoconceito engloba a autoimagem, mas também a imagem espelhada (como os outros veem o sujeito) e a imagem idealizada (a imagem que o sujeito aspira para si). Será que é verdade quando se afirma popularmente que *mulher feia detesta espelho*? Quem tem o ideal de um dia ser lindo, deve se achar um *bregueço*[4] quando vê sua imagem real no espelho.

William James, em 1890, subdividiu o self em dois: o subjetivo e o objetivo, sendo o primeiro (subjetivo) o senso interior, e o segundo, a soma de tudo que a pessoa entende de si mesma. Para o sociólogo norte-americano Charlhes Cooley (1864-1929), o conceito que uma pessoa tem de seu self surge das interações com os outros e reflete as expectativas e avaliação destes, ou, como afirma certo adágio, *um coração é espelho de outro*. Em outras palavras, o autoconceito depende das interações sociais e do modo como o indivíduo percebe o juízo que os demais fazem dele. Nesse sentido, o autoconceito engloba o que a pessoa pensa sobre si, seu caráter, seu *status*, sua aparência e as avaliações que ela se faz de suas condutas no meio social em que vive.

Não somos apenas quem pensamos ser. Somos mais do que pensamos. Somos o que não queremos ser, assim como somos quem escondemos que somos. Somos também o que esquecemos, assim como somos o que lembramos. Não somos, enfim, tão bons como gostaríamos de ser (*o ótimo é inimigo do bom*), nem tão ruins como nos julgamos.

Quem me vê assim cantando
Não sabe nada de mim
Dentro de mim mora um anjo
Que tem a boca pintada
Que tem as unhas pintadas
Que tem as asas pintadas
Que passa horas à fio
No espelho do toucador
Dentro de mim mora um anjo
Que me sufoca de amor

---

[4] Traste, coisa feia e sem valor.

Dentro de mim mora um anjo
Montado sobre um cavalo
Que ele sangra de espora
Ele é meu lado de dentro
Eu sou seu lado de fora

Quem me vê assim cantando
Não sabe nada de mim
Dentro de mim mora um anjo
Que arrasta suas medalhas
E que batuca pandeiro
Que me prendeu em seus laços
Mas que é meu prisioneiro
Acho que é colombina
Acho que é bailarina
Acho que é brasileiro

Quem me vê assim cantando
Não sabe nada de mim.
                                Cacaso[5]

---

[5] Letra da música *Dentro de mim mora um anjo* (1975).

De pequenino é que se torce o pepino

> *A educação exige os maiores cuidados,*
> *porque influi sobre toda a vida.*
> Sêneca[1]

Desenvolvimento social do psiquismo

A expressão *de pequenino é que se torce o pepino* vem da ideia de que os agricultores que cultivam pepinos para dar melhor forma a esse vegetal precisam fazer uma pequena poda para que eles se desenvolvam com sabor mais agradável. A mesma coisa, dadas as devidas proporções, fazemos com o ser humano quando ele nasce, pois precisamos educá-lo para que ele cresça uma boa pessoa e um ser sociável. É sábio o dito que diz que *ninguém nasce sabendo.*

Se o ser humano é, como se diz, um animal social, no início (bebê), ele não tem nada de social. Um bebê é, antes de tudo, um animal, humano, mas animal. Educar uma criança é, de alguma maneira, uma espécie de poda, pois é preciso aparar os comportamentos não sociais e dar a ela noções de limite. Não nascemos sabendo dançar, mas na vida é precisa aprender, afinal, *como se toca, assim se dança.*

O ser humano, quando nasce, nada sabe do espaço social no qual irá habitar e conviver. Sequer sabe ainda que existem pessoas, cultura, comunidade, sociedade. O psiquismo de um neonato[2] é completamente associal. Os pais serão os primeiros responsáveis pelo desenvolvimento social da criança. São os pais e a família,

---

[1] Filósofo romano (4 a.C.- 65 d.C.).
[2] Recém-nascido.

portanto, as primeiras pessoas em grupo (grupo social primário) que servirão de modelo na construção de repertórios de competência social dos seus filhos pequenos. É como atesta o antigo provérbio: *conduta de pais, caminho de filhos*.

Os psicólogos Zilda Del Prette e Almir Del Prette, em seu livro *Psicologia das habilidades sociais na infância – teoria e prática*,[3] descrevem habilidades sociais como a "capacidade de articular pensamentos, sentimentos e ações em função de objetivos pessoais e de demandas da situação e da cultura, gerando consequências positivas para o indivíduo e para a sua relação com as demais pessoas". É nesse ambiente que irá se desenvolver a personalidade e a pessoa de uma criança, a partir de sua condição de bebê.

O desenvolvimento de comportamentos pró-sociais passa pelo controle dos comportamentos antissociais. Exemplos de comportamentos pró-sociais são: ser altruísta, ajudar, compartilhar, importar-se com o outro e ter empatia.

Para se ter comportamentos sociais, é necessário ter autocontrole quanto a certos impulsos, emoções, ações e atitudes, tais como raiva, medo e egoísmo. "Deixar de fazer" ou "deixar de expressar" faz parte da socialização da mente humana. Uma aprendizagem social deficitária compromete o desenvolvimento humano, podendo resultar em comportamentos delinquentes ou antissociais, agressivos, relacionamentos interpessoais pobres, depressão e/ou fracasso escolar-acadêmico.

Somos seres sociais, contudo, não nascemos seres sociais. Aprender a ser. Se assim não fosse, permaneceríamos uma espécie de *criança selvagem* pela vida inteira. Como não é assim que acontece, somos socializados. Todo ser socializado tem sua raiz em um grupo social (geralmente família). *Batatinha, quando nasce, se esparrama pelo chão*.[4]

Biologicamente, a falta de socialização afeta o processo de maturação do cérebro. Ao nascermos, nosso cérebro pesa em torno de 400 gramas, sendo que o cérebro adulto pesa cerca de 1.500 gramas. Na primeira infância (1.000 dias), o cérebro vai se modificando e, quando atinge 3 anos de idade, já desenvolveu mais de 2/3 do que terá quando adulto. Os anos iniciais, portanto, estabelecem a arquitetura cerebral e suas funções.

O processo de socialização do psiquismo fornece saúde e equilíbrio emocional. Um processo precário e bastante falho tende a comprometer o desenvolvimento

---

[3] Zilda Del Prette; Almir Del Prette, *Psicologia das habilidades sociais na infância* – teoria e prática, Rio de Janeiro: Vozes, 2005, p. 33.
[4] Um ditado popular que sofreu corruptela ao longo do tempo. Sua verdadeira origem *é batatinha quando nasce espalha a rama pelo chão*. Tal ditado faz menção às raízes da batata.

da personalidade e da pessoa humana. É necessário, pois, que o psiquismo, desde cedo, vá assimilando hábitos e normas característicos do ambiente social em que vive. O desenvolvimento de habilidades e competências sociais não apenas integra o indivíduo à comunidade, mas também o dota de recursos para um melhor funcionamento no espaço social. Transformar uma criança selvagem em um ser humano civilizado acaba sendo um processo psicoeducativo que se inicia no âmbito da família e continua na escola e em outros ambientes nos quais a criança vive.

Uma das consequências de um fraco desenvolvimento de competências e habilidades sociais em um indivíduo é a *ansiedade social*, que é um conjunto de sintomas caracterizados por um medo elevado de lidar com situações grupais. Essa ansiedade diminui ou inibe o sujeito diante das outras pessoas, gerando, inclusive, desconforto físico, como rubor facial, sudorese excessiva, tensão muscular, palpitações, tremores, mal-estar gastrointestinal, ataque de pânico etc. A pessoa fica meio *destrambelhada*[5] socialmente.

Do ponto de vista da socialização parental, não basta somente educar com exigências, cobranças e punições. É preciso educar com carinho, afeto e empatia. A forma como os pais exercem suas funções parentais tem efeitos significativos. Os pais podem ser afetivos e compreensivos, autoritários, desatentos ou omissos. A psicóloga norte-americana Diana Baumrind (1927-2018) tipificou três estilos ou modelos parentais de socialização: *autoritativo*, *autoritário* e *permissivo*, a partir de duas dimensões: exigência e responsividade. O estilo autoritativo (combinação de autoridade e participativo) é caracterizado pela combinação de exigência (controle) e boa capacidade responsiva (empatia) às necessidades da criança. Já pais autoritários seriam aqueles caracterizados por um alto nível de controle, cobrança e exigência, com baixa ou nenhuma capacidade empática. Pais permissivos, ao contrário dos autoritários, têm uma elevada capacidade de resposta, porém baixa ou nenhuma capacidade de exigência e imposição. Posteriormente, os pais permissivos foram subdivididos em: *indulgentes* (aqueles que tudo deixam e permitem, mas não exercem sua autoridade para monitorar e se impor diante de comportamentos não sociais) e *negligentes* (aqueles que não estão nem aí para os filhos).

Repetindo, para que sejamos seres humanos sociais, o psiquismo deverá aprender a se controlar, a se comunicar em termos de mutualidade e reciprocidade, a ser capaz de se colocar psicologicamente no lugar do outro (empatia) e a

---

[5] Vocábulo nordestino para uma pessoa desajustada.

se comportar de maneira social interativa. Não ocorrendo dessa forma, seremos apenas um enorme bebê se achando dono do mundo (*quem dorme com criança acorda molhado*). Afinal, como diz outro dito popular, *ferro se malha enquanto está quente*.

É no seio inicial da família que interiorizamos normas e valores. A assimilação de hábitos e cultura de nosso preliminar grupo social é conhecida como *socialização primária*. Quando pequenos, geralmente somos muito *encangados*[6] a nossos pais (ou substitutos), razão pela qual tal proximidade psicoafetiva facilita a internalização, mediante mecanismos de identificação, dos princípios, padrões, crenças e concepções morais advindas dos nossos cuidadores iniciais. Posteriormente (socialização secundária), o processo prossegue na escola, nos grupos sociais de amigos, igreja, trabalho etc. Portanto, é por meio da socialização que vamos construindo nossa personalidade, ao nos transformarmos de seres puramente biológicos em seres também sociais.

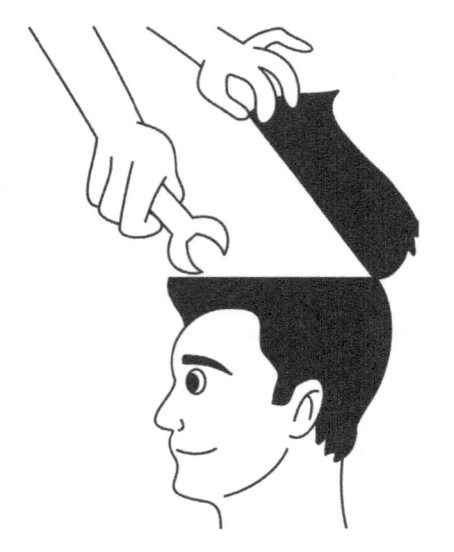

A educação tem raízes amargas, mas os seus frutos são doces.
Aristóteles[7]

---

[6] Junto, pegado.
[7] Filósofo grego (384-322 a.C.).

Cobra que não anda
não apanha sapo

> *A independência foi sempre o meu desejo,*
> *a dependência foi sempre o meu destino.*
> Paul Verlaine[1]

Independência e autonomia

Quem já viu um bebê sabe que ele é um dependente absoluto de quem cuida dele. Um recém-nascido é totalmente incapaz de atender sozinho a qualquer de suas necessidades básicas. Não há chances de sobrevivência sem os cuidados do ambiente (função materna). Embora haja total dependência, o psiquismo neonato desconhece esse seu estado de completa sujeição ao outro. No início, ele é integralmente narcísico, ou seja, impercebe a existência de objetos externos. É como se o bebê e o ambiente fossem uma coisa só. Gradualmente, o psiquismo vai se dando conta de que não está sozinho na vida; que existe um mundo fora dele. No principiar da vida somos todos *marinheiros de primeira viagem.*[2]

De forma progressiva, a criança sai de sua condição de dependência absoluta e passa para uma condição de dependência relativa. A partir do segundo semestre de vida, aproximadamente, o psiquismo neonato tem maior consciência de sua sujeição e começa a perceber com melhor clareza a realidade externa, embora acredite ser o centro do mundo (egocentrismo). É uma longa jornada vida adentro até que alcance uma posição de independência diante dos pais. A cobra tem que aprender a andar com suas próprias "pernas".

---

[1] Poeta francês (1844-1896).
[2] Quem vive uma experiência pela primeira vez.

Para que se chegue verdadeiramente à maturidade psicológica, é necessário saber se independizar dos pais e da família de origem, para não correr o risco de se tornar um *adulto preso ao rabo de saia da mãe*.

Sim, o processo de independência e autonomia requer tempo, tempo de maturação. Lembremos que *a pressa é inimiga da perfeição* ou que *Roma não se construiu em um dia*.

A questão da independência em relação às figuras parentais ou à família de origem não se reduz à independência financeira e material, mas, sim, e principalmente, à independência emocional. Sabemos que o afeto dos nossos primeiros cuidadores é primordial para o desenvolvimento psicoafetivo humano, mas é necessário crescer sem que se dependa tanto das outras pessoas emocionalmente. Se é verdade que *filho de onça já nasce pintado*, é preciso, pois, que a oncinha se torne uma onça.

Outro dito popular diz que *homem sem dinheiro é um violão sem cordas*, isso quer dizer que um homem adulto sem independência é um homem sem cordas, isto é, não toca nada. Aliás, sem independência, nem adulto ele é, psicologicamente falando. *É necessário cortar o cordão umbilical.*[3]

A dependência emocional se expressa por meio de padrões de comportamento, tais como dificuldade em tomar decisões por si mesmo, dificuldade de dizer não, insegurança, possessividade e ciúme exagerado, atitude controladora, busca de atenção exclusiva e incapacidade de sentir-se bem quando sozinho.

Não possuir independência emocional demonstra que há imaturidade psíquica – uma criança que precisa crescer. Pessoas assim tendem a desenvolver uma personalidade dependente ou, mais precisamente, um *Transtorno de Personalidade Dependente*. Os principais sintomas, além dos já citados, são ansiedade, baixa autoestima, hesitação, comportamento submisso, necessidade constante de aprovação, medo de ser deixado, tendência a ser alguém sufocante ou *chiclete*[4] e certa aptidão a ser um tanto ingênuo ou, às vezes, até meio *bocó*.[5]

A independização é um processo que requer suporte, pois necessita que os pais encontrem um equilíbrio entre proteger e libertar seus filhos. Pais autoritativos (*vide* capítulo *De pequenino é se que torce o pepino*) contribuem sobremaneira para a independência psicológica e a autonomia dos filhos. Um exemplo de atitude parental para a independência dos filhos pode ser vista no filme de animação *Procurando Nemo* (2003).

---

[3] Não literalmente falando, mas, sim, no sentido de tornar-se autônomo, adulto.
[4] Pessoa pegajosa.
[5] Expressão informal que significa tolo, meninão.

A independência emocional gera autonomia. É diretamente proporcional: quanto maior a independência, maior a autonomia; ou inversamente proporcional: quanto maior a dependência, menor a autonomia.

Autonomia significa, literalmente, ter competência para seguir suas próprias leis, ou seja, é a capacidade de decidir e agir conforme seus princípios e valores. Popularmente, se diz que é *andar com suas próprias pernas*. A conquista da autonomia também é um processo que se inicia na infância e que, de alguma maneira, precisa encontrar facilitação no contexto social em que se desenvolvem a criança e seu psiquismo. É como se diz por aí: *filho criado, trabalho dobrado*.

A autonomia começa no seio do lar e segue mundo afora, afinal *costume de casa vai à praça*. Assim como um organismo, somos um fenótipo, que resulta do nosso genótipo em conjunto com o ambiente em que vivemos. Por isso se diz que *filho de gato caça rato*.

Quem alcança autonomia é dono dos seus próprios sentimentos. É como um cavaleiro (Ego) que conduz um cavalo (emoções), e não um cavalo que conduz um cavaleiro. É também dono de suas escolhas e ações. Em termos psicoemocionais, o que muito atrapalha a autonomia são o medo e a vergonha. São afetos que, quando não bem administrados, nos congelam ou paralisam psicológica e atitudinalmente. Pessoas bloqueadas em sua autonomia podem encontrar em uma psicoterapia um forte aliado ao seu crescimento como pessoa humana (*vide* capítulo *Quem canta seus males espanta*). Como disse Jung, *quem olha para fora sonha, quem olha para dentro desperta*.

Talvez este seja o maior triunfo de um ser humano: alcançar a independência emocional e a autonomia.

> *Nunca se pode concordar em rastejar quando se sente ímpeto de voar.*
> Helen Keller[6]

---

[6] Primeira pessoa surdo-cega a conquistar um bacharelado (1880-1968). Sua história é celebrada na obra *O milagre de Anne Sullivan*, escrito pela própria Helen Keller, que assim homenageou sua professora que a ajudou a se adaptar ao mundo e alcançar sua autonomia.

Farinha pouca, o meu pirão primeiro

> *Quem é esse que me segue/*
> *na escuridão calada?*
> Tagore Rabindranat[1]

O egoísmo humano

Somos originariamente egoístas. Isso significa que somos naturalmente egoístas, ao menos no início do nosso processo de amadurecimento psíquico. Não o egoísmo que estamos acostumados a referir aos jovens ou adultos (que vivem *olhando pro próprio umbigo*[2]), mas o egoísmo de essência narcísica.

Não nascemos com o senso de coletividade. O social não existe na mente de um neonato. É algo que será descoberto posteriormente de forma progressiva. Nesse sentido, somos primariamente associais. Essa é a forma de "ver" o mundo de um bebê humano. Segundo a Psicanálise, o psiquismo lactente sente certa onipotência na relação que existe entre sua fome e o seio que lhe é dirigido, pois se encontra na ilusão narcísica de que o seio é uma criação dele, isto é, uma impressão de que o seio é um prolongamento de si. A mente, em sua fase primária, não difere mundo interno de mundo externo. Ou o seio é ela, ou ela é a dona do seio.

Não sejamos românticos nem ingênuos, nem vamos *tapar o sol com a peneira*.[3] Uma criança pequena nada tem de altruísta ainda. A mente primitiva

---

[1] Poeta indiano (1861-1941).
[2] Quem dá demasiada importância a si mesmo.
[3] Expressão popular no sentido de esconder ou ocultar algo.

é completamente indiferente em relação ao outro e ao que ele sente. Mas isso é normal. Faz parte do desenvolvimento do psiquismo. Não é porque, inicialmente, somos todos narcisicamente egoístas (com a energia psíquica voltada somente a si, sem noção de objeto externo) que teremos de ser permanentemente narcísicos. Trazemos em nossa condição humana a aptidão ao altruísmo. Não se ensina o peixe a falar, por exemplo, pois ele não tem condições naturais para isso. Da mesma maneira, não se ensina um gato a dirigir, ou um cachorro a ler um poema. Porém, nossa natureza nos dotou da potencialidade de virmos a ser empáticos e altruístas, além de podermos falar, dirigir e ler poemas. É necessário somente tempo de maturação para isso, além de condições sociais e ambientais favorecedoras e facilitadoras. Podemos, então, afirmar que também nos é inata a tendência ao crescimento.

O psiquismo, inicialmente egoísta e narcisista, necessita de maturação, afinal *panela velha é que faz comida boa*. Em 1830, o filósofo francês Augusto Comte (1798-1857) criou o termo *altruísmo* para falar da disposição humana que nos inclina à solidariedade e ao compartilhamento. Embora, a princípio, o termo altruísmo soe como oposição a egoísmo (o que é, de certa forma), ele se desenvolve desde a infância a partir de nossa nascente posição egoísta. Afinal, para sobreviver, necessitamos de uma mão alheia que nos ajude. Por isso é que comumente se diz que *uma mão lava a outra*.

Quando o filósofo inglês Thomas Hobbes (1588-1679) divulgou a célebre frase *o homem é o lobo do homem*,[4] destacou a transformação do homem como animal selvagem em um homem social. Isso, segundo Hobbes, se fez quando os homens estabeleceram uma espécie de *contrato social* que permitiu que eles vivessem em comunidade, afinal *uma andorinha só não faz verão*. Ou, como nos versos do poema "Tecendo a manhã", de João Cabral de Melo Neto:[5] *um galo sozinho não tece uma manhã: / ele precisará sempre de outros galos*.

O egoísmo é intrínseco à natureza humana, assim como sair dele (ou, ao menos, diminuir o egolatrismo) é entrar na condição humana, em sua acepção humana. Basta acompanhar a evolução de uma criança desde bebê. Nitidamente, se observará que o período chamado infância (do nascimento até 11/12 anos, aproximadamente) se caracteriza por uma passagem do egoísmo e do egocentrismo para um modo de viver social e interativo.

---

[4] Originariamente, a frase pertence ao dramaturgo romano Titus Plautus (284-184 a.C.), quando expressou em uma de suas peças *lupus est homo homini*.

[5] Poeta pernambucano (1920-1999).

Em 1976, o biólogo Richard Dawkins agitou o mundo da biologia evolutiva com a publicação de seu livro *O gene egoísta*.[6] Nele, Dawkins teoriza que os seres em geral (humano, inclusive) não passam de meras "máquinas" criadas pelos genes com o puro objetivo de replicá-los. O único propósito, portanto, dos nossos genes é a sobrevivência. E é exatamente pela luta da sobrevivência que o ser humano teve de abrir mão, forçadamente, do seu egoísmo atávico para uma espécie de egoísmo moderado e aberto ao compartilhamento. Se assim não o fosse, não sobreviveríamos sozinhos ou em restritos e diminutos grupos. Decididamente, *mão posta ajuda é*.

Somos inicialmente apenas egoístas porque o psiquismo rudimentar ainda não é capaz de perceber a existência externa dos outros (objetos externos) e sua dependência em relação a eles, inclusive para a autoconservação do próprio organismo (*bebê sozinho não existe*[7]). Embora psicologicamente não percebamos, somos natural e originalmente seres vinculares. Um bebê precisa de alguém. O egoísmo aqui referido é uma ilusão psicológica de se existir sem ninguém. Uma ilusão provocada pela imaturidade do psiquismo em sua fase nascente. Mas lembremos que *tatu velho não esquece o buraco*, ou seja, no fundo do nosso psiquismo permanecerá o narcisismo originário de onde viemos (Ego Ideal[8]).

Contudo, somos (ou deveríamos ter sido) amados por quem nos cuida. A primeira relação de amor se dá entre o bebê e seu cuidador. Esta é a nossa matriz relacional, o primeiro vínculo indelével que nos marcará a vida inteira a partir do interior dos porões de nossas personalidades humanas. Um egoísta sozinho não existe (ou, como diz um provérbio português, *o egoísta, amando só a si, de ninguém é amado*). Um egoísta de nascimento necessita de um outro que um dia também nasceu egoísta. É como se tivéssemos que ceder uma parte, ou grande parte, do egoísmo (não esqueçam de deixar um pouquinho, pois isso faz parte daquilo que chamamos de *amor-próprio*), da mesma forma que o outro também deve fazer, para que possamos sobreviver e conviver da melhor forma possível. Assim, vamos aos poucos descobrindo o outro, suas diferenças e idiossincrasias.

---

6   Richard Dawkins, *O gene egoísta*, São Paulo: Companhia das Letras, 2007.
7   Expressão dita pelo pediatra e psicanalista inglês Donald Winnicott para se referir à necessidade absoluta que o bebê tem de existência e vínculo com um objeto cuidador (mãe). Em outras palavras, só existe um bebê porque existe uma mãe.
8   Segundo Freud, o Ego Ideal representa a posição psíquica de onipotência que um dia a mente infantil vivenciou psicologicamente.

Surge, então, em nós o que nos faz verdadeiramente humanos: o reconhecimento, a compaixão, a solidariedade e, enfim, o altruísmo.

> *Nas antipatias e aversões indisfarçadas que as pessoas sentem por estranhos com quem têm de tratar, podemos identificar a expressão do amor a si mesmo, do narcisismo.*
>
> Sigmund Freud

Altruísmo

O altruísmo é atitude solidária com o próximo e que visa ao bem-estar deste. Segundo o filósofo francês Augusto Comte (1798-1857), é a tendência natural do indivíduo que o leva a se preocupar com o outro, mas que, embora espontânea, precisa ser aperfeiçoada por meio de um processo de educação. Esse processo civilizatório passa por inibir alguns ou muitos instintos egoístas.

A empatia é indutora do altruísmo. É a faculdade mental que temos de compreender alguém, é a capacidade psicológica de "se colocar no lugar do outro" e tentar entender emoções e sentimentos. Na Psicologia, temos um conceito denominado mentalização, que é a habilidade psicológica de perceber o estado mental do outro.

Sabemos que o ser humano não nasce empático. Nascemos *com o rei na barriga*.[9] Mas também sabemos que nascemos com uma tendência inata ao crescimento. O psiquismo, ao se desenvolver, tem aptidão para pensar, ou seja, pensar no que se está fazendo ou se fez, bem como nas consequências e seus

---

[9] Expressão popular usada para se referir a quem dá muita importância a si mesmo (egoísta).

impactos em relação às outras pessoas. Essa capacidade talvez seja a base da empatia, e tal prática reflexiva é estimulada a ser praticada por aqueles que nos educam e socializam.

Evidentemente, a empatia acontece com mais facilidade quando nos identificamos com o outro, mas também podemos empatizar em situações em que isso não acontece. Para que isso ocorra, o psiquismo deverá reconhecer e aprender a tolerar as diferenças. Afinal, cada indivíduo é distinto do outro. Só *à noite todos os gatos são pardos.*

O altruísmo induzido pela empatia, como descreve David Myers em seu livro *Psicologia social,*[10] inibe a agressão, aumenta a cooperação, produz ajuda sensível e melhora a atitude com o desigual. Pois *é dando que se recebe.*

Se a empatia é fundamental para o desenvolvimento de habilidades sociais, então, conforme vimos no capítulo *De pequenino é que se torce o pepino,* o desenvolvimento da empatia na infância sofre forte influência dos estilos parentais, que são padrões gerais de características da relação entre pais e filhos em suas práticas educativas. Como dizem por aí, *a lua não fica cheia em um dia.*

Com base nas funções de exigência/controle e responsividade/empatia por parte dos pais, Diana Baumrind definiu três estilos parentais: o autoritativo (democrático), o autoritário e o permissivo. Posteriormente, dividiu o estilo permissivo em dois tipos: o indulgente e o permissivo. O estilo parental permissivo é caracterizado por uma prática educativa de fraca disciplina ou disciplina inconsistente. Já o autoritário, pela valorização da obediência e a rigidez em sua cobrança. O estilo autoritativo é uma combinação do exercício da autoridade (controle) com a participação (responsividade); é um estilo dialogal.

A falta de empatia parental, assim como seu excesso, tende a ser prejudicial ao desenvolvimento do sentimento de empatia das crianças. Estudos longitudinais apontam que a relação entre pais e filho é um fator importante para o progresso do exercício da empatia na criança. Filhos que respondem bem às interações realizadas por seus pais manifestam maior empatia por pessoas, inclusive as desconhecidas. A maneira como os pais lidam com o sofrimento, as angústias e os conflitos com os filhos contribui tanto para o aprendizado psicológico da regulação e do autocontrole emocional quanto para o desenvolvimento da empatia.

Desenvolvida a capacidade empática em nosso interior psicológico, podemos dizer que estamos prontos para exercitar o altruísmo e emergir inclinações sociais positivas. Lembremos, mais uma vez, que ninguém se torna totalmente altruísta.

---

[10] Op. cit.

Se assim acontecer, estará apagando sua própria subjetividade. Por mais altruísta que um indivíduo seja, há sempre um prazer voltado a si mesmo, nem que seja o prazer de ajudar o outro. Decididamente, *amor com amor se paga*.

Amor de mãe é a mais elevada forma de altruísmo.
Machado de Assis[11]

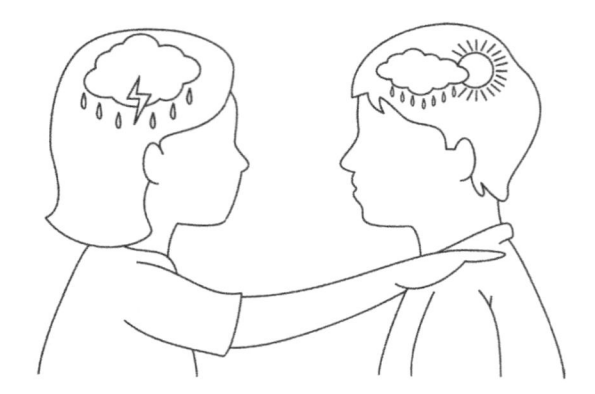

---
[11] Escritor brasileiro (1839-1908).

O que os olhos não veem, o coração não sente

> *Minha essência é inconsciente de si própria*
> *e é por isso que cegamente me obedeço.*
> Clarice Lispector

Inconsciente

Embora esse ditado tenha sido difundido em relação à traição e ao adultério, é fato que o psiquismo é tendenciosamente escapista, isto é, vive evitando e escapando de sentir incômodo ou sofrimento. Sabe aquele famoso *beber pra esquecer*? Pois é.

A mente humana tem e desenvolve recursos psíquicos defensivos para não ter de encarar determinadas situações externas e internas, pois estas provocam ansiedade e inquietação. É melhor não ver para não sentir. A mente, sempre que pode, *foge da raia*.[1]

A psiquê não somente vê com os olhos, mas também com a boca, o nariz e a pele. E, principalmente, com os pensamentos, as ideias e os sentimentos.

Pensamento sozinho, desacompanhado de emoção ou afeto, não dói. O que nos dói por dentro são os sentimentos, os sentimentos negativos. São chamados de negativos os afetos que nos incomodam ou que não gostaríamos de estar sentindo, como medo, vergonha, raiva, culpa, ciúme e inveja. A maneira psíquica de não sentir esses afetos é negá-los. E, dessa forma, desviar nossa atenção para outra coisa cognitiva ou pensamento. Assim, quando separamos o pensamento ou a ideia da emoção ou do sentimento, ou, em outras palavras, quando reprimimos

---

[1] Termo popular que significa escapar de uma situação adversa.

ou recalcamos psiquicamente, o que a nossa mente está fazendo é se defender do que se reprime enviando-o para um lugar psíquico onde a nossa consciência não os enxergue.² *Longe dos olhos, longe do coração.*

O mesmo pode acontecer com os impulsos ou desejos. A mente também pode reprimi-los. Independentemente do que a mente reprime, isso irá parar em uma espécie de "arquivo morto", que seria melhor chamar de *arquivo oculto*. Esse arquivo oculto (lugar psicológico que a nossa parte consciente do Ego não pode acessar) é denominado de *inconsciente*.

Embora a noção de inconsciente psíquico já fosse de conhecimento do ser humano há muito tempo (inconsciente fenomênico), foi Freud quem "descobriu" uma outra função psíquica que também titulou de Inconsciente, um *Inconsciente Dinâmico*. O termo "dinâmico"³ foi usado para referir sobre a luta entre o que é reprimido e a repressão que impede o reprimido de emergir à luz da consciência – é como se o que é reprimido *fugisse do mapa*.⁴ Enquanto o impulso, por exemplo, é uma força que busca expressão, a repressão (mecanismos de defesa) é uma força que busca obstar e inibir a expressão desses impulsos.

Pelo que foi exposto, o inconsciente inclui boa parte de nossa vida psíquica (emoções, impulsos, ideias, crenças), que não é visível pela parte consciente (o Eu) da mente. *É preciso ver para crer.* Lembranças traumáticas, por exemplo, ficam retidas no espaço inconsciente da memória (não acessível pelo Eu pensante/consciente), podendo reaparecer de forma inesperada (*insight*⁵) ou através de outros meios, como sintomas neuróticos.

Há quem denomine os sintomas neuróticos como uma *fala enigmática do inconsciente*. A Psicanálise conceituou como *retorno do recalcado/reprimido*, que é um processo psíquico mediante o qual os conteúdos reprimidos (expulsos da parte consciente da mente) retornariam de maneira distorcida ou deformada. Por exemplo: uma pessoa pode, por um rápido momento, desejar (pensar) que seu pai morra. Esse desejo ou pensamento é contrário aos seus sentimentos afetuosos

---

² O inverso também é verdadeiro, ou seja, pode-se reprimir o pensamento ou a ideia, e então a consciência toma conhecimento apenas do sentimento que o indivíduo sente sem saber o porquê. A angústia, por exemplo, é sentida sem objeto específico, por isso é denominada de "ansiedade sem nome".

³ Dinâmica vem do grego *dynamis*, que significa força, poder, por esse motivo, a Física Dinâmica é aquela que estuda o movimento dos corpos sob influência das forças.

⁴ *Fugir do mapa* é uma frase de origem popular que significa desaparecer.

⁵ Clareza psíquica súbita. Trata-se de captação mental de algo que não estava sendo visto de forma consciente. Uma espécie de iluminação interior.

em relação ao pai, bem como ao seu senso moral. A mente, então, "apaga" da consciência o desejo/pensamento, recalcando-o e mantendo-o inconsciente por meio do mecanismo de repressão (o desejo/pensamento *vira sorvete*[6]). Todavia, essa lembrança (desejo/pensamento) pode retornar sob forma de sintoma histérico de cegueira. A cegueira histérica, portanto, é uma transformação de algo psicológico em algo físico (somático), sem nenhuma condição médica ou causa orgânica que a justifique. Estamos, pois, diante do fenômeno do retorno do recalcado, mediante manifestação psicossomática. Não é à toa que se diz que *a mentira tem perna curta*. Um dia aparece, mesmo que disfarçada de sintoma neurótico.

Por que a mente humana reprime conteúdos psicológicos de si mesma? Por causa do *Princípio do Prazer-Desprazer* (*vide* capítulo *A pressa é inimiga da perfeição*). A mente humana busca prazer, mas também é escapista, isto é, evita o desprazer. Certos pensamentos, desejos e sentimentos podem gerar desprazer psíquico, principalmente devido aos aspectos morais que compõem o psiquismo. Nesse sentido, a psiquê evita o desconforto que sentiria com esses pensamentos, desejos e sentimentos, caso viessem à luz (consciência), por meio de mecanismos defensivos de recalcamento e repressão. *O que os olhos não veem, o coração não sente.*

> *O inconsciente é o oceano do indizível,*
> *o que foi expulso do território da linguagem,*
> *posto de lado em virtude de antigas proibições.*
> Italo Calvino[7]

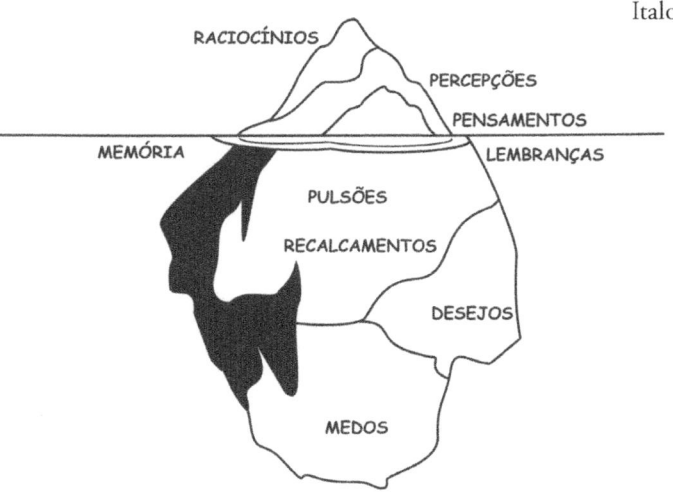

---

[6] Expressão popular para aquilo que evapora, desaparece.
[7] Escritor italiano (1923-1985).

Angústia: a dor atávica da alma

Sim, *onde há fogo, logo fumega*. O sentimento aflitivo da angústia é o fumegar; apenas não sabemos onde está o fogo. Todavia, sabemos que *o fogo dorme sob as cinzas*.

Quem já sentiu angústia, sabe que se trata de um forte mal-estar psicológico caracterizado por uma sensação de abafamento ou estreiteza na alma. É uma sufocação sem causa, inquietude, tormento, apertura, agonia, sofrimento. Diferentemente da ansiedade ou do medo, esse desconforto psíquico é um verdadeiro desespero sem gatilho conhecido. Quando estamos ansiosos ou com medo, sabemos o que está nos provocando esses sentimentos. No caso da angústia, isso não ocorre, pois *donde não se espera, daí é que sai*.

Mas o que é angústia? Como ela chega? De onde ela vem? Na angústia, parece que puxamos sem querer o fio da meada dos nossos afetos mais negativos, tais como medo, ansiedade, inquietação, desgosto e até mesmo uma tristeza indefinível.

O indivíduo que sente angústia, se sente paralisado diante da incerteza e do vazio que o assola. Segundo Freud, psicanaliticamente, a angústia é um estado afetivo puro que nos atinge. Equivale à ansiedade, ao susto e ao medo, porém sem objeto específico. Sente-se a angústia e pronto. Não há motivo ou razão de se estar sentindo.

Já a Psiquiatria moderna denomina o mal-estar da angústia como Transtorno de Ansiedade, que vai do ataque de pânico até a ansiedade generalizada. Do ponto de vista da Neuropsiquiatria, percebe-se que essa agonia tem relação com os níveis de neurotransmissores, como a serotonina, a dopamina e a noradrenalina.

A origem do sentir angústia está em todos nós, sem exceção, pois o nascimento é o momento inaugural da angústia. Houve até quem defendesse que a angústia é consequência do *trauma do nascimento*.[8] *Quem não quer sofrer nasce morto*, diz um provérbio.

A angústia é a agonia psíquica mais primitiva do ser humano. É resultado do próprio desaparelhamento da psiquê infante e imatura em lidar com os inúmeros estímulos externos e internos que desequilibram a *homeostase psíquica*.[9]

---

[8] Otto Rank (1884-1939), psicanalista austríaco, é um desses. É autor do livro *O trauma do nascimento*, da década de 20 do século passado, recém-reeditado no Brasil pela Editora Cienbook (2015).

[9] Homeostase é a capacidade do organismo físico-quimicamente de se apresentar constante dentro de certos limites diante de alterações impostas pelo ambiente. Em termos psicológicos,

Antes mesmo de haver um nome e um Eu na mente humana, a psiquê já sentia o desassossego da angústia.

Esse sofrimento primordial é relacionado à própria condição original do desamparo humano. Trata-se do medo exordial[10] que nos acompanha na nascença. É a aflição mais primal do homem e tem sua maior vivência e representação do trauma vivenciado ao nascer.

O homem nasce prematuro para prover sua própria sobrevivência. A psicóloga e doutora em Teoria Psicanalítica Isabel Fortes[11] enfatiza que o *desamparo primordial* ocorre pelo fato de precisarmos, enquanto bebês, da ajuda do outro. Nesse sentido, o humano é fadado ao apelo, pois estamos sempre a solicitar implícita ou explicitamente a proteção, o amor e o cuidado do outro.

Do ponto de vista ontológico, a espécie humana traz em si a condição estrutural e estruturante do desamparo primordial em sua existência. A língua alemã denomina de *hilflösigkeit*, termo este que significa ausência de ajuda, desarvoramento. Freud se utilizava do termo para explicar que a angústia se assenta sobre a sensação subjetiva do *hilflösigkeit*.

A angústia expõe nossa vulnerabilidade, nossa incompletude. Essa angústia, diante do sentimento de desamparo, é gênese autônoma para todas as demais ansiedades. Enquanto lactentes, dependemos absolutamente da pessoa que nos cuida (mãe). Seu desaparecimento nos afunda na intensa angústia da mais completa solidão, abandono e aniquilamento. Donald Winnicott, relacionando a angústia ao trauma do nascimento, descrevia tamanha inquietude e desespero anímico[12] como efeito de uma experiência inexprimível que nos escapa lá das profundezas psíquicas quando nos encontramos diante de uma situação da qual não conseguimos escapar nem compreender. Dessa forma, a angústia pode ser representada como uma *agonia impensável*.

A angústia é um sofrimento que dói, pois se expressa em manifestações somáticas. Provoca impressões físicas de aperto na altura do peito, altera o batimento cardíaco, causa sensações de sufocamento ou dificuldade para respirar, pode gerar tensões musculares, desconforto abdominal, tontura, náusea, boca seca, diarreia, enxaqueca, sudorese, calafrio, alteração do sono e do apetite. É como

---

a homeostase psíquica é a capacidade mental de preservar o equilíbrio. Psicodinamicamente, é função do Ego manter a estabilidade no interior do aparelho psíquico.

[10] Primitivo, inaugural, inicial.
[11] Isabel Fortes, Masoquismo e desamparo no sofrimento contemporâneo, *Revista Pulsional de Psicanálise*, ano 21, n. 4, 2008.
[12] Psíquico.

se a alma gemesse e o corpo se contorcesse. A agonia que o sofrer da angústia nos suscita é o medo do aniquilamento e do cair sem amparo em um abismo profundo e sem fundo.

Não há cura para a angústia, no sentido de extirpá-la. Não se retira a angústia da alma humana (*antes sofrer que morrer*). Ela é inerente ao existir do ser, ou, como diz uma expressão comum inspirada nos ensinamentos bíblicos,[13] *cada dia com sua agonia*. Não se pode removê-la do interior psíquico. Podemos minimizar ou controlar a ansiedade e os sintomas que ela gera até mesmo por medicamentos. Porém, amputá-la de nós jamais. Podemos melhor compreendê-la e saber conviver com o espectro de sua presença interior a nos espreitar. Podemos aprender a suportá-la. Podemos evitar que seu mal-estar se transforme em doença ou que corroa como um câncer a nos padecer a alma. Podemos, também, evitar os vazios existenciais que a fazem emergir das profundezas abissais de nossas entranhas psíquicas.

Se fôssemos criar uma analogia da alma, poderíamos, rudimentarmente, associá-la à representação figurativa de um queijo suíço, que é caracterizado como repleto de buracos. A alma humana não é totalmente preenchida. Somos humanamente constituídos de incompletudes e de carências. Nosso psiquismo não é uma unidade coesa, absolutamente inteira e perfeita, pelo contrário, ele é eivado de vazios, sejam eles oriundos de faltas, ausências, insuficiências e/ou perdas. São como rasgos ou buracos na alma, fendas estas que parecem ser profundas e sem fundo. Sendo nosso psiquismo de origem narcísica, talvez seja por isso que o escritor russo Fiódor Dostoiévski (1821-1881)[14] certa vez tenha dito que *todo homem tem um vazio do tamanho de Deus*. Assim sendo, todos estamos passíveis de sentirmos o tormento da angústia. Ninguém diga: *dessa água não beberei*.

Não há palavras que possam descrever intimamente a angústia, mas existem algumas que ajudam a descrever seus sintomas físicos, não sua subjetividade. Angústia é algo que se sente. E como dói. Por isso é que *pimenta no cu dos outros é refresco*, pois no nosso é angústia.

A angústia é psicofísica, isto é, é da ordem do corpo e da mente. Faz parte do entrelaçamento entre o somático e o psíquico. É a sofreguidão da alma e a dor emocional da carne. Queda no índice de serotonina, por exemplo, altera significativamente o estado de ânimo de uma pessoa, principalmente por ser a

---

[13] Mt 6:34: "(...) Basta a cada dia o seu próprio mal".
[14] Criador de grandes clássicos da literatura mundial, entre eles *Crime e castigo*, *O idiota* e *Irmãos Karamazov*.

serotonina um neurotransmissor que intervém em outros neurotransmissores, como a dopamina e a noradrenalina, substâncias químicas produzidas pelos neurônios que estão relacionadas com a angústia, a ansiedade e o medo. Nesse sentido, um quadro de angústia pode ter seu gatilho oculto no corpo. Nem tudo é tão psicológico, assim como nem tudo é tão somático. Seja como for, pelo corpo ou pela alma, a angústia é um afogo que nos espreita como se esperasse o menor vacilo.

Freud sustentou que a angústia tem ligação com suas raízes nos estágios mais primitivos da organização psíquica. A angústia ora sentida é uma angústia secundária à angústia primária inscrita na mente desde o período neonatal e lactente. Para ele, a primeira situação traumática vivida pelo ser humano se dá por ocasião do seu nascimento (parto), momento em que há a ruptura com o modo de vida fetal e se passa a enfrentar um novo tipo de existência, isto é, ocorre uma completa desorganização vital do equilíbrio psicofísico até então existente (feto). Entende-se que o choro do recém-nascido representa a *angústia fisiológica* que, como dizia Freud, será o padrão das angústias que virá a sentir *a posteriori*. Nesse sentido, toda vez que o indivíduo se sentir ameaçado (real ou irrealisticamente) em seu equilíbrio vital, a vivência do traumatismo do parto corre o risco de se renovar. Dessa forma, a angústia secundária seria uma espécie de sinal diante do ressurgimento da angústia primária. *A dor ensina a gemer.*

A angústia secundária passa a ser *ansiedade de alarme*, que tem a função de servir de alerta ao Ego dos perigos contra o ressuscitamento da angústia ancestral registrada no psiquismo neonato por ocasião da vivência perturbante do parto. Assim, a ansiedade de alarme (angústia secundária) é uma forma atenuada, embora agoniante, da angústia primária. Esse padrão de defesa costuma se cristalizar nos comportamentos neuróticos, quando o mundo, de alguma maneira, passa a ser sentido como hostil. Sabe o adágio *dos males, o menor?* Pois bem, é algo parecido. Sente-se a ansiedade de alarme para não se aproximar muito do sentimento de angústia ancestral e primária.

Pelo que já foi exposto, a mais desestruturante e atormentante angústia será sempre a do desamparo, diante da qual o psiquismo primitivo se viu quando da passagem da vivência do parto e do nascimento para a vida extrauterina. Por essa razão, o vazio existencial gera sentimentos de tédio, melancolia e desamparo. É quando a existência perde significado e sentido, remetendo o sujeito à sensação de estar sozinho consigo mesmo diante do agigantar do mundo e do absurdo da vida. O psiquismo mergulha no fundo de sua desvalidada e desesperadora solidão. O filósofo alemão Martin Heidegger (1889-1976) correlacionava esse sentimento como preço do desertar da consciência para a vida ou, mais precisamente, para a morte, que é o final inexorável de toda a vida. Na angústia, dizia Heidegger, percebemos que somos um ser que caminha para a morte, isto é, para o nada.

Um fogo devora um outro fogo.
Uma dor de angústia cura-se com outra.
William Shakespeare

Gato escaldado tem medo de água fria

*Tão estranho carregar uma vida inteira no corpo
e ninguém suspeitar dos traumas,
das quedas, dos medos, dos choros.*
Caio Fernando Abreu[1]

Trauma psíquico

Trauma vem do grego *traûma*, que tem o sentido de "ferida". Do ponto de vista físico, trata-se de uma lesão produzida por ação violenta externa ao organismo. Traumatismo, portanto, são as consequências de um trauma no corpo, que compromete sua estrutura e funcionamento.

Da mesma forma é o trauma psicológico, que é um dano emocional resultante de algum acontecimento, como a morte de um ente muito próximo e querido por acidente automobilístico, ou a experiência pessoal que envolve ameaça à integridade física. Cada indivíduo reage de uma maneira a um trauma. Diríamos que cada um reage de acordo com o seu jeito de ser. O que pode gerar um trauma psíquico em um pode não gerar em outro. Não passar no vestibular pode não ser tão significante para um sujeito, mas pode ser bastante traumático para outro. *Cada um sabe onde lhe aperta o sapato.*

Geralmente, um trauma psíquico é aquele que nos pega de surpresa, isto é, que surge de forma repentina quando sequer estamos preparados psicologicamente para lidar com um evento estressante. De acordo com a Associação Americana

---

[1] Dramaturgo e escritor brasileiro (1948-1996).

de Psiquiatria, a resposta da pessoa ao acontecimento precisa envolver medo intenso, impotência ou horror. O trauma, portanto, decorre de um episódio que abala consideravelmente o sujeito e provoca modificações significativas no seu funcionamento mental. É uma espécie de *pereba*[2] na alma.

Um gato que um dia tomou um banho quente que lhe escaldou ou lhe ardeu a pele, fica traumatizado e passa a ter medo de banho, mesmo que seja com água fria. Como diz o povão: *o que arde cura, o que aperta segura*.

Não somos tão diferentes dos gatos. Também podemos ficar com medo de água fria. É o que acontece quando sofremos de Transtorno de Estresse Pós-Traumático (TEPT). No TEPT, o indivíduo apresenta distúrbios de ansiedade representados por um conjunto de sintomas físicos e psicoemocionais decorrente de uma experiência em que se viveu ou presenciou atos violentos ou situações nas quais ficou exposto a ameaças à sua vida ou à de terceiros, como no caso de um assalto à mão armada. É como dizem: *quem tem cu tem medo*.

Mas nem toda sabedoria é totalmente certa. No caso do ditado em que se diz que *o tempo cura tudo*, não ocorre bem desse jeito. Não basta um sujeito sofrer um TEPT e ficar na cama esperando os dias passarem. O tempo pode cicatrizar muitas feridas, mas nem todas. Principalmente feridas na alma. Nesses casos, quem cura as feridas não é o tempo, mas o próprio sujeito em questão.

Quem bate esquece, quem apanha não. O trauma nos marca na memória da alma. Uma manchete que gruda em nós como carrapato e a qual não é fácil despregar. *O trauma é o avesso da memória*.[3] Não que lhe seja o contrário no sentido de oposto. Mas no sentido de que se a memória guarda o passado, sendo o trauma assim uma revivência do passado no presente.. O gato escaldo tem medo de água fria, como se toda água fria fosse quente como a que lhe queimou.

Quem vivenciou uma experiência traumática, associa determinados estímulos como se fossem gatilhos para reviver o trauma. Digamos que um indivíduo sofreu um estresse traumático próximo a uma fábrica de biscoitos e toda vez que sente cheiro de biscoito seu coração dispara como se houvesse uma ameaça traumática análoga.

Às vezes quem sofreu um trauma psicológico pode apresentar dificuldades para se lembrar do acontecido em seus detalhes ou, até mesmo, no todo. Um

---

[2] Termo nordestino que significa ferida.
[3] Título do artigo dos psicanalistas Maria Manuela Moreno e Nelson Coelho Junior. Disponível em: <http://www.scielo.br/scielo.php?script=sci_arttext&pid=S1516-14982012000100004>.

trauma pode "apagar" da memória resgatável lembranças pertinentes. É o que ocorre nas conhecidas *Amnésias Dissociativas*.[4]

A teoria psicanalítica clássica baseou-se no trauma psíquico, o tratamento visava a tornar conscientes lembranças recalcadas. Essas lembranças tornavam-se inconscientes, podendo buscar outros escoamentos, dentre eles o somático. O trauma, assim, transformava-se em um *trauma inominado*. Era preciso, pois, resgatá-lo na situação analítica. O trauma psíquico, assim, pensava Freud, era um afluxo de energia psíquica (pulsional) excessiva, que se sobrepunha à capacidade mental de ser processado e elaborado. Em outras palavras, *é muita areia pro caminhão*, isto é, muito estímulo para o psiquismo lidar em pouco tempo. O cérebro e a mente sofrem uma espécie de *curto-circuito* devido a uma sobrecarga em seus sistemas.

Quanto mais remoto for o evento traumático, ou seja, quanto mais próximo ele for da menor infância, maior poderá ser o seu poder de impactar e impressionar a alma de forma duradoura. Isso porque, quanto mais cedo ocorrer o trauma, maiores serão as chances de ele se entranhar nas estruturas da formação de nossa personalidade. Assim diz o povo: *dor de barriga não dá uma vez só*.

Os traumas psicológicos podem gerar o desenvolvimento de fobias de várias ordens, agressividade ou passividade demasiada, sintomas físicos (vertigem, insônia, dor de estômago, diarreia, falta de ar, entre outros), constante estado de hipervigilância e alerta, ansiedade e depressão.

> *Não são os grandes traumas que fabricam as maldades.*
> *São, sim, as miúdas arrelias do quotidiano, esse silencioso pilão*
> *que vai esmoendo a esperança, grão a grão.*
>
> Mia Couto[5]

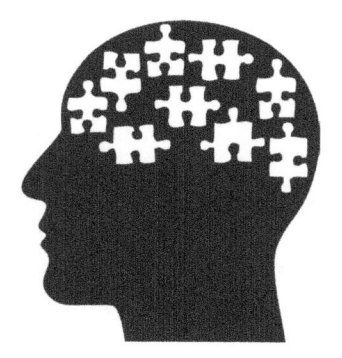

---

[4] Tipo de amnésia provocada por trauma ou forte estresse, resultado da incapacidade do indivíduo de recordar a cena vivida ou relembrar informações significativas e importantes.
[5] Escritor moçambicano.

Onde há fumaça, há fogo

> *Nós, os humanos, temos essa horrível e
> maravilhosa capacidade de sofrer pelo que não existe.
> Somos neuróticos.*
> Rubem Alves[1]

As neuroses

Diz um dito popular que *do homem é o errar, da besta, o teimar*. Não. Um indivíduo neurótico não é uma besta. É um teimoso. Mas ele não é teimoso porque quer. Ele é teimoso porque sofre em responder de maneira psiquicamente infantil, mesmo já sendo adulto. Por isso é comum percebermos em muitas pessoas neuróticas uma instabilidade emocional que, diríamos mais, se assemelha a uma infantilidade emocional. Freud afirmava que o neurótico não sofre de lembranças, mas, sim, de reminiscências. O que isso quer dizer? Que uma pessoa em momento histérico, por exemplo, está sendo atacada por algo do passado, mas não está ligada diretamente ao passado (lembrança), e sim sofrendo no momento de algo que tem sua origem no passado, mas que o sujeito não associa em termo de recordação. Os neuróticos, ou as pessoas em momentos neuróticos, são verdadeiras crianças com suas impulsividades, medos irreais, crenças mágicas e falta de autocontrole emocional. São indivíduos que facilmente *perdem as estribeiras*.[2]

Não adianta chorar o leite derramado. Mas o neurótico não sabe disso. É como se a criança continuasse chorando o leite derramado, pois sua demanda neuró-

---

[1] Psicanalista e escritor brasileiro (1933-2014).
[2] Popularmente, perder as estribeiras significa perder o controle, desnortear-se.

tica esconde uma criança chorando para ver se mama, criança esta camuflada em um corpo adulto, quase como se fosse um *lobo em pele de cordeiro*.[3] O que a neurose demanda por detrás dos sintomas neuróticos é uma insaciável boca infantil vorazmente em busca de um seio. Decididamente, *quem tem saúde de ferro pode um dia enferrujar.*

A neurose é uma doença sem lesão. Trata-se de um transtorno emocional em que a pessoa reage com exagero a determinados estímulos. Medos, ansiedades, somatizações, descontroles e alterações de humor são sinais recorrentes em quem sofre de neurose.

De certa forma, todos somos um pouco neuróticos. Uns mais, outros menos. Por que afirmo isso? Porque, de alguma maneira, nunca seremos tão adultos psicologicamente. Ninguém se livra totalmente da própria infância. A ambiguidade é da nossa natureza humana. Somos um poço de contradições e paradoxos. Somos meio homens (ou mulheres) e meio meninos (ou meninas). Somos, adultos, uma mistura entre um velho sábio (*senex*) e uma eterna criança (*puer aeternus*). Se *macaco velho não põe a mão em cumbuca*, o eterno macaquinho de dentro do nosso psiquismo coloca, sim – e por isso se machuca. Um neurótico acaba sendo um inadequado. É uma criança inchada parecendo gente grande. Pois é, *de médico e louco todo mundo tem um pouco.*

Contudo, neurose é coisa séria. Não é brincadeira de criança, não. É transtorno psicoemocional que faz o sujeito por ele acometido sofrer. É um quadro psicopatológico no qual o indivíduo, embora trabalhe, estude, namore, case, tenha filhos, saia com amigos e assim por diante, apresenta dificuldades de adaptação. Ao contrário da psicose, a pessoa neurótica não perde seu contato com a realidade.[4] É uma pessoa com fortes conflitos psíquicos que a inibem ou impedem de aproveitar melhor a vida. Por ser uma doença psíquica sem lesão que a justifique, a neurose tem suas raízes na história e na personalidade do sujeito. Parafraseando Simone de Beauvoir, *não se nasce neurótico, torna-se neurótico.*[5]

A neurose não é um transtorno temporário. Ela costuma fazer parte do jeito de ser da pessoa. Segundo a Psicanálise, é resultado de conflitos internos entre impulsos e defesas contra estes, embate que não encontra um ponto de equilí-

---

[3] Expressão popular que se refere a alguém que parece ser uma boa pessoa, mas no fundo não é.
[4] Há uma brincadeira que diz que, enquanto o neurótico sonha em morar em castelos no ar, o psicótico mora neles.
[5] Intelectual francesa, e ativista política e feminista, que viveu entre os anos 1908-1986. A expressão ora parafraseada é *não se nasce mulher, torna-se mulher.*

brio. Nesse sentido, um indivíduo neurótico é aquele que sofre de instabilidade emocional. Psicologicamente, não consegue manter a gestão de suas emoções e, consequentemente, demonstra dificuldade em controlá-las. Em comparação com o que diz o povo, há algo de caranguejo em uma pessoa neurótica, pois, como se afirma, ela parece *andar para trás como um caranguejo*.[6]

Hoje em dia, fala-se em *neuroticismo*, que se entende como um traço de personalidade. Indivíduos predominantemente neuroticistas têm elevada propensão a experimentarem ansiedade, preocupação exagerada, medos de origem imaginária, raiva, baixa tolerância para lidar com frustrações, alterações no estado de humor e inclinação muitas vezes depressiva. Quanto mais neurótica uma pessoa, maior será sua instabilidade emocional. *Pelo andar dos bois se conhece o peso da carroça.*

Classicamente, a neurose era subdividida em *neurose histérica* (alterações do estado de consciência, conversões ou manifestações sensitivas ou motoras, amnésia), *neurose fóbica* (condutas de medo, insegurança e evitação) e *neurose obsessiva-compulsiva* (ideias obsessivas, rituais e comportamentos compulsivos). Atualmente, o CID-10 classifica[7] como transtorno fóbico-ansioso, transtorno obsessivo-compulsivo, transtorno adaptativo, transtorno dissociativo e transtorno somatoforme. Inclui, ainda, a neurastenia e a síndrome de despersonalização-desrealização.

Crianças propriamente ditas podem apresentar desde cedo sintomas neuróticos, muitas vezes como resultado do afastamento dos pais por tempo muito prolongando. Nessas situações, a criança se mostra em desespero e com medo crescente em relação ao afastamento sentido como abandono. Traumas marcantes no período infantil também podem ser geradores de neuroses precoces. É preciso lembrar que, quando crianças, somos muito ligados emocionalmente aos nossos pais e ao meio em que vivemos. Conturbações parentais e ambientais afetam diretamente as crianças pequenas, principalmente. Dizem que *leite de vaca não mata bezerro*, ou seja, o que uma mãe oferece ao seu filho não mata. Pois é, não mata e ainda permanece para a vida inteira. É como se exclama: *quem tem mãe é sempre criança.*

Do ponto de vista físico, *águas passadas não movem moinho*. Porém, do ponto de vista psicológico e emocional, águas passadas movem moinho. *Vide*, por exemplo, a parte referente a *trauma psíquico*. Se *com o tempo, tudo se cura*, só não se cura a neurose

Somos seres histórico-temporais. Os momentos temporais que se somam em nós formam um todo indivisível, como explicou o filósofo francês Henri Bergson

---

[6] Freud dizia que *os histéricos sofrem principalmente de reminiscências*.
[7] Grupamento classificatório F40-F48.

(1859-1941). Para ele, o passado é um tempo que, metafisicamente, não passa, fica em nós. O presente é constantemente engolido pelo passado. Como bem demonstra Bergson, o que passou não passou, pois ele permanece aqui, tanto em nossas memórias cognitiva, sensorial, sensitiva/afetiva, corporal, consciente e inconsciente, quanto em nossa experiência de vida, biografia e personalidade. O passado, portanto, é subjetivamente duração, ele invade o tempo presente, ele está nos nossos menores gestos. Escreve o filósofo em seu livro *A evolução criadora*[8] que *nossa duração não é um instante que substitui o outro instante: nesse caso, haveria sempre apenas presente, não haveria prolongamento do passado no atual, não haveria evolução, não haveria duração concreta. A duração é o progresso contínuo do passado que rói o porvir e incha à medida que avança.* Na arraia-miúda[9] é comum se ouvir que *ao passado tira-se o chapéu*.

Como se diz, *saco vazio não para em pé*. Somos todos um saco cheio de passado andando na estrada da vida.

Quem não recorda o passado está condenado a repeti-lo.
George Santayana[10]

---

[8] Henri Bergson, *A evolução criadora*, São Paulo: Unesp, 2010.
[9] Sinônimo de povo.
[10] Filósofo e poeta espanhol (1863-1952).

A grama do vizinho é sempre mais verde

O invejoso emagrece com a gordura dos outros.
Horácio[1]

O sentimento de inveja

Também se diz que *a galinha do vizinho é sempre mais gorda*. Será? E se for, e daí? Daí que podemos sentir inveja do vizinho e de sua galinha ou de sua grama. Não é incomum às vezes termos essa sensação desagradável quando observamos alguém feliz, bem-sucedido ou tendo prazer. Parece que algo positivo nos provoca algo negativo; deixa a gente com *dor de cotovelo*.[2] Decididamente, a inveja é um afeto negativo, pois nos corrói por dentro. Embora assim seja, todos estamos passíveis de senti-la, afinal é um sentimento normalmente humano.

Isso tem origem na nossa própria origem. Somos primariamente narcisistas. A mente rudimentar ainda não tem condições de perceber a realidade. Ela se acha única e, por isso, perfeita e onipotente. É uma ilusão sensório-motora que, aos poucos, pela força das experiências e do amadurecer psíquico, vai se diluindo, assim como também acontecerá com o egocentrismo. Com o tempo, a fantasia de ser o centro do mundo também se dissipa, e se começa a perceber que o mundo é muito maior do que antes se acreditava, ou seja, ele não nos pertence. Crescemos e descobrimos que somos dependentes, vulneráveis, falhos e imperfeitos. Todavia, resíduos do período narcisista primário permanecerão no fundo do nosso psiquismo.

---

[1] Poeta e filósofo romano (65 a.C.-8 a.C.).
[2] Expressão popular para inveja.

Espelho, espelho meu, existe alguém mais belo do que eu? Sim, existe. Eis a inveja. A inveja faz brotar no interior da alma nossos instintos mais selvagens. Até parece que, pelo fato de alguém ser mais belo, sofremos uma enorme injustiça. O que psicologicamente sofremos é uma *ferida narcísica*. Por que com ele e não comigo?, indaga-se o interior narcísico de nosso psiquismo mais arcaico. E, assim como a madrasta má de Branca de Neve, começa a germinar uma raiva direcionada ao outro, que conseguiu ser o que queríamos ser. Agora, sim, a inveja se completa. É por isso que vulgarmente se comenta que *a inveja é irmã gêmea do ódio*.

Em princípio, parece que a inveja é um sentimento suscitado de fora para dentro. Mas ocorre o contrário, é desenvolvido de dentro para fora. E como dói sentir inveja. Há um provérbio oriental que afirma que *o invejoso adoece quando seu vizinho passa bem*. Aqui no Nordeste dizemos que a pessoa está com *olho grande*.[3]

Evidentemente, quanto menor for a autoestima de uma pessoa, mais vulnerável ela estará a sentir inveja. Percebe-se uma estreita correlação entre autoestima e inveja. Sim, a inveja é um significativo sinal de quão baixa anda a autoestima de alguém.

Popularmente, chamamos também de *olho gordo*. Olho gordo é um termo relacionado ao *mau-olhado*. Ambas as expressões denotam que o indivíduo que sente inveja quer do outro (o invejado) a qualidade que ele não possui, e que não pode ter, pois é do outro. Dessa forma, o desejar do invejoso transforma-se em raiva do invejado (mau-olhado). O invejoso chega a sentir ódio do invejado.

Quem inveja, ataca. Ataca de várias maneiras, sutis ou explícitas, o objeto de sua inveja. Como definiu o filósofo do século XVII Baruch Spinoza (1632-1677), a inveja é *o ódio que afeta o homem de tal modo que ele se entristece com a felicidade de outrem e, ao contrário, se alegra com o mal do outro*. É possível, então, entender por que comumente se declara que *o invejoso emagrece de ver a gordura alheia*.

Conta-se uma velha fábula:

Certa vez, um vaga-lume estava acendendo e apagando seu facho. Uma cobra que estava por perto observou o pisca-apaga-pisca do vagalume e se aproximou para dar-lhe um bote. O vaga-lume desviou-se do ataque da cobra. Esta, insatisfeita, esgueirou-se atrás do inseto. Permaneceram um tempo nessa perseguição, até que o vaga-lume pousou e perguntou à cobra:

— Dona cobra, por acaso eu pertenço à sua cadeia alimentar?

— Não – respondeu a cobra.

— E por acaso eu lhe fiz algum mal? – continuou perguntando o vaga-lume.

---

[3] Com inveja.

– Não – respondeu novamente a cobra.
– Então por que – insistiu o vaga-lume – a senhora que me pegar?
E a cobra apenas respondeu:
– É porque você brilha.

Se a inveja fosse coxa,[4] *muita gente andava de muletas.*
Ditado popular

---
[4] Pessoa que manca ou a quem falta uma perna ou um pé.

O medo é do tamanho que a gente faz

O medo nunca está no perigo, mas em nós.
Stendhal[1]

Medos e fobias

Ai, que medo! Quem já não falou isso ou algo parecido? Todo mundo, é claro. O medo nos acompanha desde os mais remotos dos nossos ancestrais. Ainda bem. Já imaginou se nossos antepassados fossem puramente afoitos, sem medo algum? Provavelmente não estaríamos aqui contando histórias, afinal o medo é uma emoção cuja função primordial é nos preservar dos perigos e das ameaças. *Cautela e canja de galinha nunca fizeram mal a ninguém.* Então não se acanhe se de vez em quando você perceber que é um tanto *frouxo* ou *bunda-mole*.[2] Afinal, quem não é de alguma maneira? Quem não tem algum ou alguns medos, como: perder o emprego, ser assaltado, adoecer, morrer, ficar sozinho, perder a pessoa amada, ou até de barata, de altura, de sapo, de cobra, de quarto escuro, de assombração...? Pois é, *no avião o medo é passageiro*.

O medo é uma resposta emocional diante dos riscos e ameaças à nossa integridade e sobrevivência. O cérebro ativa involuntariamente uma série de substâncias químicas (principalmente adrenalina) que provocam a reação do medo. Fisicamente, o coração e a respiração aceleram e os músculos se contraem. Pronto, nosso organismo está preparado para fugir ou atacar, afinal *quem tem medo não mama em onça*.

---

[1] Escritor francês (1783-1842).
[2] Expressões ditas pelo povo para se referir a uma pessoa medrosa.

Mãos frias, coração quente. Sim, o medo nos aquece por dentro e nos gela por fora. Quando ele nos acomete, é porque algo nos periga, real ou psicologicamente. Acontece que às vezes o organismo reage de maneira exagerada. É quando o medo se transforma em fobia.

Vinda do grego *phóbos* (medo, terror), fobia significa medo exagerado, extremo, desproporcional, que leva o sujeito a *torar um aço*.[3] Trata-se de uma disfunção psicológica que leva o indivíduo a ter medo irracional, seja de barata, aranha, lugares fechados, multidões, escuro, injeção etc. É um medo sem lógica, injustificado, disparatado, descomedido e nada racional. É um apavoramento em que o sujeito não tem nenhum controle volitivo, e que o conduz a comportamentos evitativos. Conta um provérbio que *quem tem medo recolhe para casa cedo*.

Há algo de meio histérico na fobia. Se *nem tudo que reluz é ouro*, então nem tudo que dá medo é perigoso de fato. Às vezes é resultado de uma experiência traumática (*vide* capítulo *Gato escaldado tem medo de água fria*) e que leva o indivíduo traumatizado a ter medo de ter medo. Outras vezes é produto da própria imaginação e fantasia infantil, como ter medo de quarto escuro e de bicho-papão. Esses medos se impregnam no psiquismo como se verdadeiros fossem. Pode ser até consequência de uma predisposição genética. Enfim, seja como for, trata-se de um medo de algo que de fato não é ameaçador ou perigoso. Como se diz por aí, são medos que deixam a gente com o *cabelo em pé* e *com o cu na mão*.[4]

Em Portugal se diz que *o medo é pai da crença*. Se uma pessoa acredita que algo é perigoso, então sente medo. Mesmo aquele que sente medo de barata, ainda que, conscientemente, saiba que ela é nojenta, mas não perigosa, apesar de irreal, em algum lugar do seu psiquismo (inconsciente) há o registro de ameaça. Quem acredita em Comadre Florzinha,[5] tem medo ao ouvir um assovio no meio do mato. Lembremos que a mente humana que é capaz de acreditar em príncipe encantado é a mesma que é capaz de acreditar em bicho-papão. Nossa mente mente. E como mente! Ela cria *minhocas na nossa cabeça*.[6] Nossa mente é capaz de criar medos que paralisam nossa vida (como deixar de sair de casa, por exemplo), pois *quem tem medo morre cedo*.

Em sua plasticidade e capacidade imaginativa, o psiquismo é criador de inúmeras fobias, tais como:

---

[3] Locução popular que significa sentir medo intenso.
[4] Expressões populares para "assustado" e "com muito medo".
[5] Lenda do folclore brasileiro. Uma espécie de entidade que protege as florestas.
[6] Expressão comumente usada no Nordeste para quando nossa cabeça tem ideias absurdas.

- abissofobia (medo de abismos);
- acrofobia (medo de altura);
- afefobia (medo de ser tocado);
- agorafobia (medo de lugares abertos e de multidões)
- eletrofobia (medo de galinha);
- antrofobia (medo de pessoas);
- autofobia (medo de ficar sozinho);
- bacilofobia (medo de bactérias);
- brontofobia (medo de trovão e relâmpago);
- coniofobia (medo de poeira);
- coprofobia (medo de fezes);
- elurofobia (medo de gatos);
- filemafobia (medo de beijar);
- hematofobia (medo de sangue);
- melanofobia (medo de cores pretas);
- mirmecofobia (medo de formiga);
- noctifobia (medo da noite);
- rupofobia (medo de sujeira);
- selenofobia (medo da lua);
- talassofobia (medo do mar);
- uranofobia (medo do céu);
- zoofobia (medo de animais).

Decididamente, a mente humana é muito criativa. De um limão pode fazer uma limonada.

Não desças os degraus do sonho
Para não despertar os monstros.
Não subas aos sótãos – onde
Os deuses, por trás das suas máscaras,
Ocultam o próprio enigma.
Não desças, não subas, fica.
O mistério está é na tua vida!
E é um sonho louco este nosso mundo...
Mário Quintana[7]

---

[7] Poeta brasileiro (1906-1994).

Há uma antiga fábula que conta que um rato vivia angustiado com medo do gato. Um feiticeiro teve pena do rato e o transformou em gato. Então ele ficou com medo do cão, e o feiticeiro o transformou em cão. Mas então ele ficou com medo da pantera, e mais uma vez o feiticeiro o transformou em pantera. E a pantera começou a ter medo do caçador. Cansado, o feiticeiro desistiu e o transformou de volta em um rato, dizendo: "nada do que eu faça irá ajudá-lo, pois você tem a coragem de um rato".

Essa é a questão. Se o medo vem de uma ameaça de fora, a fobia vem de um medo de dentro. Podemos ter medo até da própria sombra.[8]

A vida é maravilhosa se não se tem medo dela.
Charles Chaplin[9]

---

[8] Este é um dos pensamentos do senso comum: *o medroso até da sombra tem medo.*
[9] Ator, cineasta, comediante e músico britânico (1889-1977), que imortalizou seu principal e mais famoso personagem, Carlitos.

Depois da tempestade vem a bonança. Depois da calma vem a tempestade

A vida não é triste. Tem horas tristes.
Romain Rolland[1]

A bipolaridade da alma

Quem já teve um episódio depressivo, sabe que a depressão é o mesmo que *comer o pão que o diabo amassou*.[2] Não é à toa que Andrew Salomon, escritor norte-americano, ao publicar um livro sobre sua própria depressão, o titulou como *O demônio do meio-dia*.[3]

A depressão é uma doença psíquica ou, mais precisamente, uma doença psiquiátrica, que produz uma tristeza profunda e persistente, junto com um

---

[1] Novelista francês (1866-1944).
[2] Expressão popular que significa passar por grande sofrimento.
[3] Andrew Salomon, *O demônio do meio-dia*, São Paulo: Objetiva, 2002.

enorme sentimento de desesperança. É uma doença que atinge milhões de pessoas pelo mundo.

Urubu, quando está infeliz, cai de costas e quebra o nariz. Quando uma pessoa abre um episódio depressivo, sente um desânimo constante, perde o prazer pelas coisas, fica ensimesmada, tem uma sensação de intenso vazio e angústia, apresenta pensamentos negativos sobre si mesma, o mundo e o futuro, e lhe falta motivação para viver e fazer as coisas habituais. Ela é tomada por uma *circuntristeza*[4] e *perde o gás*.[5] A depressão é como *cozinhar em fogo brando*.[6] Contudo, o fogo brando, com o tempo, se torna ardente a abrasante. Quem já sentiu depressão sabe muito bem o que quer dizer o provérbio português *em lugar escuro não entra alegria*.

Em termos gerais, depressão significa desnível de terreno, ou seja, achatamento, rebaixamento, buraco, cova, fossa,[7] cavidade. Em termos psicológicos também, afinal, quem se deprime afunda e sofre abatimento psíquico, literalmente entra na fossa. Há uma forte perda de energia vital no sujeito, feito uma vela que vai perdendo a luminosidade e se apagando aos poucos. Psiquiatricamente falando, é um transtorno do humor. Em latim, *deprimere* se traduz como "para baixo". Como diz outro ditado: *coração e motor sem faísca não pega*.

Do ponto de vista biológico, podemos dizer que o humor corresponde a uma função vital que engloba as atividades cognitivas, emocionais e vegetativas. Humor é o estado de ânimo de uma pessoa, seu tônus afetivo, seu estado emocional basal. Enquanto uma emoção tem duração rápida, o humor pode durar dias, semanas, meses... Sinteticamente, podemos afirmar que o humor afeta quatro afetos primários: medo (ansiedade), raiva, alegria e tristeza. A desregulação do humor, seja para cima ou para baixo, mexe com essas emoções.

As variações acentuadas do humor podem oscilar tanto para baixo (depressão) quanto para cima (euforia). Indivíduos que sofrem de frequentes viragens no humor (para cima e para baixo; para baixo e para cima), apresentam o que atualmente se intitula como bipolaridade, ou, mais precisamente, Transtorno Bipolar (TB), também conhecido como Transtorno Afetivo Bipolar. O TB é uma condição psiquiátrica qualificada por alterações graves de humor, en-

---

[4] Termo nordestino que designa uma tristeza que invade tudo.
[5] Expressão popular que significa sem energia, sem forças.
[6] Locução que quer dizer agir devagar, sem pressa.
[7] Por isso quando um indivíduo está para baixo, numa fase ruim, se diz que o sujeito *está na fossa*.

volvendo períodos de humor elevado e deprimido. Tanto o estado de euforia (mania) quanto o de depressão são dois lados de uma mesma moeda, isto é, estados doentios do psiquismo humano. Sabe aquela expressão popular *depois da queda, o coice*[8]?

Muito riso, pouco siso. Quando um indivíduo se encontra com o humor alterado para cima, fica expansivo, hiperanimado, alegre em excesso. Popularmente, se diz que o cara está com *asas nos pés*. Tudo para ele é bom, bom demais. Até parece que ganhou na Mega-Sena acumulada. *Rico ri à toa*. Porém, *quanto maior o coqueiro, maior a queda*. Como os estados eufóricos e maníacos da alma nos enchem de grandiosidade, energia excessiva e até mesmo perda do senso crítico e noção de realidade, quando tal bolha eufórica estoura, a queda é grande. É como *sair da brasa e cair na labareda*, pois o que leva a uma profunda euforia, também leva a uma profunda depressão. É preciso ter cuidado, pois, com a mania, afinal *rapadura é doce, mas não é mole, não*.

É comum que uma pessoa em mania (fase eufórica), ao ficar acelerada e inquieta, estimule os impulsos para compras e gastos desnecessários, além de uma hipersexualidade, e que, passada a fase de elação, se veja com dívidas e problemas de várias ordens, consequências do comportamento desmensurado antes apresentado. *Vão-se os anéis, ficam-se os dedos*. E os dedos ficam bem machucados. *Muitos entram lambendo e saem mordendo*, mas, nesse caso, saem mordidos. Desse ponto para a depressão pode ser muito rápido, afinal *para baixo, todos os santos ajudam*. Decididamente, *alegria de pobre dura pouco*. As consequências geradas pela crise maníaca podem causar danos ou prejuízos não somente financeiros, mas também sociais, familiares e até individuais. Se *a vida é feita de altos e baixos*, a vida de quem sofre de bipolaridade é feita de mais altos e mais baixos ainda.

Até o momento não existe cura para a bipolaridade, porém há tratamento que contribui significativamente para um maior controle das variações do humor. O espectro bipolar engloba variações do humor definidas como:

Tipo I: Predomínio da fase maníaca (eufórica) com depressão mais leve (distimia).

Tipo II: Predomínio da fase depressiva com mania mais leve (hipomania).

Mista: Quando os episódios possuem várias características de mania e depressão ao mesmo tempo (disforia).

---

[8] Termo popular para se referir a dois castigos.

Ciclos Rápidos: Quando os episódios de alternância de humor duram menos que uma semana.

Ciclotimia: Os sintomas são perseverantes por, no mínimo, dois anos, período em que os sintomas de hipomania são leves e os de depressão não são tão profundos a ponto de serem diagnosticados como depressão maior.[9]

Sim, o TB é para a vida toda, e sua manifestação está ligada a fatores genéticos e ambientais. Tende a surgir no final da adolescência e início da vida adulta (18-25 anos), e estima-se que atinge cerca de 1 a 4% da população geral. Ajuda medicamentosa e psicoterápica são fundamentais para o controle e a minimização da bipolaridade.

Você não pode impedir que os pássaros da tristeza voem sobre sua cabeça, mas pode, sim, impedir que façam um ninho em seu cabelo.

Provérbio chinês

---

[9] É um estado depressivo profundo, caracterizado por um conjunto de sintomas que interfere na funcionalidade pessoal, como dormir, se alimentar, trabalhar, socializar e desfrutar de prazeres.

Formiga, quando quer se perder, cria asas

*A psicologia nunca poderá dizer a verdade sobre a loucura,
pois é a loucura que detém a verdade da psicologia.*
Michel Foucault[1]

Surtos, descompensações e explosões

Ninguém está incólume de passar a vida sem ter, uma vez ou outra, algum episódio de descontrole emocional ou de desorganização psíquica. *Nunca diga: dessa água não beberei.*

    Por que ninguém consegue passar a vida tão controlado psicoemocionalmente? Porque, no fundo, não controlamos tudo. Aliás, é pouco provável que controlemos nossas vidas com suas oscilações, imprevistos, acidentalidades e inúmeras variáveis. Não controlamos até mesmo nossa própria casa, isto é, nosso psiquismo. Quem já não se viu invadido por pensamentos que não queria ter? Quem já não se desequilibrou emocionalmente? Quem já não sentiu afetos que não queria sentir? Quem já não agiu impulsivamente e depois se arrependeu? Quem, em algum momento da vida, não "perdeu a cabeça"? Pois é, somos humanos e, por isso mesmo, somos vulneráveis e falhos. A sabedoria popular sabe disso quando afirma que *as loucuras que acabam cedo são as melhores.*

    Embora, aqui e acolá, algum descontrole seja até normal de acontecer, isso pode ser um sinal de que algo não anda bem dentro de nós ou com a maneira como conduzimos nossas vidas. Às vezes são coisas mal elaboradas do passado (*vide* capítulo *Onde há fumaça, há fogo*), outras vezes é a nossa *zona de conforto*

---

[1] Filósofo francês (1926-1984).

que está desconfortável, em outras são alterações hormonais e neuroquímicas no nosso cérebro, e outras vezes, ainda, é apenas porque não temos *sangue de barata*.[2] Seja como for, a descompensação e o desequilíbrio psíquico demonstram a nossa não capacidade de gerar uma resposta adequada a uma situação de tensão nervosa ou emocional. É aí que *a porca torce o rabo*.[3]

Vocês conhecem o *fogo de monturo*? Monturo é aglomeração de lixo. A expressão, portanto, "fogo de monturo" refere-se a um fogo que começa escondido, sem fumaça, sem labaredas, e que, de repente, explode como um vulcão e perde-se o juízo. Como se diz, *homem é como fósforo: sem cabeça não vale nada*.

Dentro da perspectiva psicanalítica de entender o psiquismo como tripartite em Id, Ego e Superego, em um momento de surto ou de descomedimento emocional, é como se o Id invadisse o Ego. O sujeito perde as rédeas de seu cavalo (*vide* capítulo *A pressa é inimiga da perfeição*, na parte referente a *Id e Ego*).

Muitos dos transtornos psiquiátricos passam por períodos de descompensação, nos quais surgem inúmeras queixas ou sintomas, como alterações de comportamento, do sono e alimentar, variações no estado do humor, diminuição do autocontrole e até mesmo risco à vida da pessoa. Esse estado de descompensação e/ou surto exige intervenções de contenção, inclusive médicas, psicoterápicas e/ou hospitalares. O Ego do indivíduo está falhando em seus mecanismos de defesa.

O outro lado do equilíbrio psíquico também é verdadeiro, ou seja, quando o Superego se impõe repreensiva e fortemente sobre o Ego. Lembremos que a parte psíquica chamada Superego é aquela responsável pelos aspectos morais da alma humana, assim como pela cobrança dos componentes idealizantes do psiquismo (*vide* capítulo *Filho de peixe, peixinho é*, na parte dedicada ao Superego). Um Superego bastante exigente e castigador oprime o Ego, imprimindo-lhe sofrimentos relacionados à culpa e à autoestima, levando-o à depressão ou à melancolia. É como se diz: *a desgraça nunca vem sozinha*.

Se o psiquismo fosse uma balança, o Ego se equilibraria entre os lados do Id e do Superego. Pendendo a balança tanto para o Superego quanto para o Id, teremos desequilíbrio psicoemocional. *Numa luta de elefantes, o prejudicado é sempre o capim*.

Não é fácil manter o equilíbrio psíquico, pois isso significa se equilibrar consigo mesmo. Podemos associar o equilíbrio psíquico não a um lugar a ser alcançado, mas a uma constante caminhada vida afora, afinal o ser humano é um ser geralmente em conflito consigo mesmo. Às vezes um lado do conflito pode predominar, afinal, até *araruta tem seu dia de mingau*.

---

[2] Sangue frio.
[3] Expressão usada quando se entra em uma grande dificuldade.

Sim, *ninguém consegue assoviar e chupar cana ao mesmo tempo*. Em algum momento tendemos a desequilibrar para um dos lados, visto que o equilíbrio de uma pessoa ou personalidade baseia-se em diferentes alicerces: biológicos, psicológicos, ambientais e relacionais. É frágil o equilíbrio global de um indivíduo. Vez ou outra um pequeno gatilho ou estímulo pode desequilibrá-lo, pois, como diz a sabedoria popular, *às vezes uma pequena nuvem esconde o sol*. Contudo, *nem tudo que cai na rede é peixe*, isto é, nem toda pequena descompensada na vida é psicopatologia. Isso ocorre apenas porque não somos tão perfeitos ou autocontrolados assim. Não nos esqueçamos, portanto, depois, de pedir desculpas.

Pelo que já foi exposto, podemos considerar que manter o equilíbrio emocional é uma verdadeira arte. Não é bom nem emoção demais nem reprimir demais as emoções. Encontrar o meio-termo e aprumar razão e emoção é, provavelmente, o maior aprendizado que teremos na vida, e, se esta durasse um pouco mais, ainda continuaríamos aprendendo.

Não é possível que fique *cada macaco no seu galho*, isto é, razão em um galho e emoção em outro. É preciso haver interação entre ambas, um constante diálogo entre as partes psíquicas. A respeito disso, lembramos de uma historinha que era contada em nossa infância. Trata-se da história de dois burros cujo dono, para evitar que fugissem, amarrou-os em uma só corda, cada um em uma extremidade. Quando os burros começaram a sentir fome, viram que tanto do lado direito quanto do lado esquerdo havia um monte de feno. Cada um foi para um dos lados. Porém, como a corda era curta, nenhum deles conseguia chegar até um dos montes de feno. Brigaram por algum tempo, até que compreenderam que era melhor dialogar. Assim, decidiram que os dois iriam juntos ao monte da direita e ambos o comeriam. Depois iriam ao monte da esquerda e ambos novamente se banqueteariam. Moral da história: nem todo burro é burro. *Uma mão lava a outra, ambas lavam o rosto*.

O filósofo grego Platão (428/427 a.C.-348/347 a.C.) figurava a alma humana como uma biga puxada pois dois cavalos alados[4] (um negro e um branco) e conduzida por um cocheiro. O cavalo negro representava as paixões irracionais e o cavalo branco, a moral. Já o cocheiro era a razão, sendo ele, portanto, responsável por dirigir a alma (biga), impedindo que os cavalos seguissem em direções opostas. O objetivo do cocheiro era levar a alma até a luminosidade.

Não é tarefa fácil para a razão (Ego) conduzir a alma humana e seus dois indóceis cavalos (Id e Superego). Se o Ego não souber segurar bem as rédeas, cada cavalo tentará levar a biga para o seu lado. Lembremos que nosso lado emocional do psiquismo, por exemplo, não está nem aí para a realidade e as consequências dos seus impulsos. Como aconselha e adverte a sabedoria do povo, *alegria de palhaço é ver o circo pegar fogo*.

Não há, por conseguinte, equilíbrio psíquico sem o bom uso da inteligência e do senso crítico. A vida nos expõe a inúmeros estresses, como problemas financeiros, crises em relacionamentos, injustiças sociais, doenças etc. Na década de 90 do século XX, o jornalista científico norte-americano Daniel Goleman popularizou a expressão *Inteligência Emocional*[5] por meio do seu livro homônimo à época publicado. Inteligência emocional, em resumo, é a nossa capacidade de reconhecer nossos próprios sentimentos, assim como os dos outros. Evidentemente, quanto mais um indivíduo puder identificar suas emoções, mais ele poderá regulá-las e conduzi-las, em vez de ser conduzido por elas. Analisar nosso próprio comportamento e controlar as emoções, principalmente as negativas, são condutas necessárias para a preservação do equilíbrio psíquico.

Nosso cérebro e nossa mente são capazes de muitas coisas, inclusive de se controlar. Aliás, o biólogo britânico Charles Darwin (1809-1882) já percebia isso quando destacou a importância da expressão emocional para a sobrevivência e adaptação de muitos animais. Um psiquismo mais amadurecido e mais trabalhado desenvolve a autopercepção emocional, que implica também a capacidade de se autoavaliar em seus pontos fracos e fortes. Um psiquismo maduro só pode ser alcançado com um bom desenvolvimento da autoconfiança (*vide* capítulo *Cobra que não anda não apanha sapo*).

Nossas emoções não são nossas inimigas, basta saber usá-las a nosso favor.

---

[4] Alegoria da biga alada, contida na obra *Fedro*, escrita por volta dos anos 385-370 a.C.
[5] Daniel Goleman, *Inteligência emocional*, São Paulo: Objetiva, 1995.

> *Qualquer um pode zangar-se – isso é fácil.*
> *Mas zangar-se com a pessoa certa, na medida certa, na hora certa,*
> *pelo motivo certo e da maneira certa – não é fácil.*
>
> Aristóteles[6]

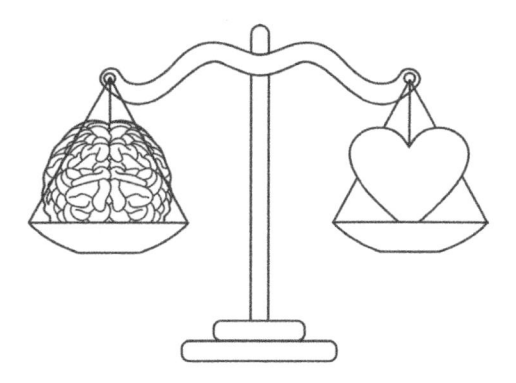

Pitis histéricos

Há um ditado que diz: *quem conta um conto aumenta um ponto*. Esse dito significa que temos a tendência de narrar as situações de forma aumentada e exagerada. Pois é, todos nós, uns mais, outros menos, temos uma inclinação para aumentar o peixe, como nas histórias de pescador.

A palavra histeria vem do grego *hystera*, que significa útero. Embora a origem do termo implique uma visão antiga de que a histeria seria uma doença de mulher, causada por perturbações no útero, entendemos que todos nós viemos de um útero e, nesse caso, podemos *latu sensu* afirmar que somos naturalmente histéricos. E o que isso quer dizer? Quer dizer que a alma humana é sempre tendenciosamente inclinada a um certo exagero, afinal toda alma humana é de origem grandiosa (*vide* capítulo *A pressa é inimiga da perfeição*). Para a alma humana, *a medida de encher nunca transborda*. Ou, como afirmou o poeta Fernando Pessoa, "tudo vale a pena quando a alma não é pequena". E se tem uma coisa que o psiquismo humano não quer ser, é pequeno. Pequeno pode ser a pessoa ou o Eu da pessoa que nela habita. Como diz o ditado, *no frigir dos ovos é que se vê a manteiga*. A manteiga da alma humana é narcisicamente grandiosa.[7]

---

[6] Filósofo grego (384 a.C.-322 a.C.).
[7] Segundo o psicanalista austríaco Heinz Kohut (1913-1981), há na base da estrutura psíquica duas formações arcaicas: *o Self Grandioso* e a *Imago Parental Idealizada*. Ambas são parte normal do desenvolvimento, pois a mente humana necessita de idealização. Segundo ele, o Self

Todo indivíduo humano é chegado em um drama. Somos todos passíveis de *fazer tempestade num copo d'água*.[8] É humano. É humano idealizar uma vida fantástica e aventureira (*quem não se aventura não come gordura*), assim como é humano viver a vida de maneira comum, banal e medíocre. Por isso é humano precisar às vezes *fazer do limão uma limonada*.[9] Sim, a vida tem lá seus azedos, por isso é necessário aumentar um limão e dele fazer um suco de limão. Conforme já mencionou Ortega y Gasset,[10] "o exagero é sempre a exageração de algo que não o é".

O ser humano tem um quê de ridículo, assim como de dramático. Tem gente que *arma um barraco*[11] apenas porque não conseguiu entrar em uma festa. Exaltar-se por pouca coisa não é tão incomum. Vez ou outra somos passíveis de dar um *piti*[12] ou um chilique. Ninguém, ao longo da vida, está livre de poder ter um faniquito. Aliás, nossas birras infantis são um bom exemplo disso.

Certa vez, escreveu o escritor norte-americano Mark Twain (1835-1910): "eu sou um homem velho e conheci um grande número de preocupações, mas a maioria delas nunca aconteceu". Somos tendentes a uns exagerozinhos; às vezes até a grandes exageros. É por isso que o senso comum nos alerta de que *lágrimas com pão, passageiras são*.

A histeria, *stricto sensu*, é um condição médico-psiquiátrica, ou seja, um transtorno caracterizado por uma sintomatologia derivada da autossugestão. Atualmente, o termo histeria não é mais usado no jargão médico oficial, que tem preferido utilizar os diagnósticos de Transtorno de Personalidade Histriônica[13] e de Transtorno Dissociativo.[14]

Grandioso é resultado da tentativa psíquica infantil de recuperar o estado de plenitude, criando, assim, um sentido de perfeição no interior do Self. Onipotência, grandiosidade e exibicionismo são características do Self Grandioso.

[8] Expressão idiomática que significa transformar uma situação banal em uma tragédia. Trata-se da maneira exagerada de um indivíduo reagir.

[9] Tradicionalmente, o ditado é: *se a vida te der um limão, faça dele uma limonada*.

[10] Filósofo espanhol (1883-1955).

[11] Fazer confusão, fazer escândalo.

[12] Gíria para ataque histérico.

[13] Caracterizado por um padrão de excessiva emotividade e uma necessidade constante de chamar a atenção para si mesmo.

[14] Referente a alterações no estado de consciência, perda de memória, alteração ou fragmentação da identidade, despersonalização/desrealização, desequilíbrio no controle dos movimentos e comportamentos e crises psicogênicas.

Sem enfocar a questão psicopatológica, ter em algum momento uma crise histriônica não nos faz uma personalidade histriônica. Há pessoas que ficam descontroladas quando se deparam com uma barata, por exemplo, mas, exceto por essa situação, não costuma ter faniquito por qualquer coisa. Outras entram em crise em aviões em momentos de turbulência, porém são ataques nervosos passageiros sem maiores prejuízos à pessoa que os teve. Já outras, como citado anteriormente, têm pouca tolerância à frustração e se irritam ou ficam agressivas por estímulos de baixa incitação Pessoas assim "barraqueiras" são de colocar lenha na fogueira. Elas esquecem que *brincadeira com fogo sempre acaba em choro*.

O que nos interessa aqui é frisar que, no fundo, somos todos um pouco histéricos e dramáticos, e qualquer um pode dar um vexame na vida. Não é legal, é verdade, afinal *quem muito se abaixa mostra o rabo*. Mas fazer o quê? Ser mais maduro, ora! Aprender a segurar dentro de nós a nossa criança mimada, caprichosa e birrenta. Na verdade, por trás de nossos pequenos pitis cotidianos se esconde uma criança. Pois bem, sábio é quem disse que *idade e experiência valem mais que adolescência*.

Choramos ao nascer porque chegamos a este imenso cenário de dementes.
William Shakespeare

Nada como um dia após o outro

Resiliência

Sou um homem velho e já passei por muitas dificuldades, mas a maioria delas nunca existiu, escreveu Mark Twain. Sim, ao longo de nossa vida iremos passar por diversas dificuldades, problemas, apereios, conflitos, crises, frustrações, decepções, perdas, contrariedades e reveses. A vida não é algo tão fácil e linear. Conforme já afirmou o filósofo alemão Arthur Schopenhauer (1788-1860), "viver é sofrer". Igualmente, dizia Siddhartha Gautama[1] (563 a.C.-483 a.C.) que "nascimento é sofrimento, envelhecimento é sofrimento, morte é sofrimento; tristeza, lamentação, dor, angústia e desespero são sofrimentos; a união com aquilo que é desprazeroso é sofrimento; a separação daquilo que é prazeroso é sofrimento; não obter o que queremos é sofrimento". Em meio a tantos sofrimentos, vive o homem sua vida rumo à finitude. É um tal de *cada um por si, Deus por todos*.

A vida é feita de baques e subidas. Como na famosa letra da música composta por Paulo Vanzolini (1924-2013), *reconhece a queda/e não desanima/levanta, sacode a poeira/e dá a volta por cima*. Viver é isso – ou tem muito disso: quedas e subidas, fins, começos e recomeços. *Um dia da caça, outro do caçador.*

Nem todo dia se come pão quente. Há dias em que se come pão frio e duro, em outros nem pão há. Como pode, então, o ser humano – como *sapiens* que é – viver a vida sabendo que ela é sofrimento e não pirar? Graças à plasticidade psíquica que possui a psiquê humana.

---

[1] Popularmente conhecido como Buda.

A mente é altamente adaptativa. Se assim não fosse, não teríamos sobrevivido desde a Pré-História. O próprio cérebro tem como recurso a capacidade de mudar ao longo da vida, ou seja, a capacidade adaptativa do sistema nervoso central é capaz de modificar a organização estrutural e funcional em resposta aos estímulos e eventos ambientais. Só *burro velho não aprende*. Porém, até mesmo homem velho ainda pode aprender. *Nunca é tarde para aprender.*

Ninguém se levanta sem primeiro cair. Ainda bem que somos dotados da capacidade de lidar com adversidades e problemas, nos adaptar às mudanças, superar barreiras e entraves, bem como aguentar e resistir às pressões e estresses da vida. Todavia, mesmo assim, qualquer indivíduo tem seu limite, pois puxando a corda demais ela rompe. A questão é: já chegamos no nosso limite? Já otimizamos todo o nosso potencial de enfrentamento e superação? Podemos aguentar um pouco mais de dor? Até que ponto podemos chegar? Se não somos tão fortes como gostaríamos de ser, talvez não sejamos tão frágeis como acreditamos que somos. *Quem quer a rosa, aguente o espinho.*

É saudável e maduro aquele que mantém uma boa capacidade de recuperação após a porrada. Quem consegue permanecer inteiro, mesmo estando machucado, é porque possui resiliência.

A Psicologia adotou o termo resiliência da Física para explicar como o ser humano responde psicologicamente às pressões da existência e de sua capacidade de recuperação e superação.

É desde cedo, desde a infância, que aprendemos a lidar com as dificuldades e os estresses. Crianças que são superprotegidas pelos pais têm pouco espaço ou oportunidade para desenvolver repertórios de enfrentamento às adversidades e às frustrações. É como se o psiquismo fosse amadurecendo com áreas carenciais de desenvolvimento.

Não obstante seja a partir da infância que se fundamentam as bases da resiliência, é possível à mente humana adulta aprender, apesar de tardiamente, a prosperar tal capacidade um tanto atrofiada, como descreve a jornalista alemã Christina Bernd em seu livro *Resiliência: o segredo da força psíquica.*[2]

Ainda que a resiliência seja uma capacidade psíquica, ela é uma construção que, psicologicamente, se faz combinando vários aspectos relacionados à história de vida do indivíduo e seu contexto sociocultural e ambiental. É como assevera o dito: *batendo o ferro é que se fica ferreiro.*

---

[2] Christina Bernd, *Resiliência*: o segredo da força psíquica, Rio de Janeiro: Vozes, 2018.

Não há resiliência quando não somos capazes de compreender nossos sentimentos e emoções. Quanto mais damos atenção e analisamos nossa subjetividade afetiva, mais nos tornamos capazes de lidar com nossas respostas emocionais diante dos contratempos e percalços da vida. A resiliência, portanto, se lastreia na inteligência emocional (*vide* capítulo *Formiga, quando quer se perder, cria asas*).

Não é se esquivando dos sofrimentos que a vida apresenta, se alienando ou se entorpecendo, que se constrói a resiliência, pois esta se estrutura por meio do acervo de mecanismos e suprimentos psíquicos para lidar com a dor, as frustrações e as perdas. Esse repertório que construímos no decorrer da vida, em inglês, se chama *coping*, cuja tradução significa algo como "enfrentamento", que representa um conjunto de habilidades cognitivas, comportamentais e sociais usadas para lidar com situações estressoras.

Pode parecer clichê a expressão *o sofrimento nos faz crescer*, mas, de fato, se cresce nas experiências amargas, pois estas possibilitam mudanças psíquicas significativas. Os psicólogos norte-americanos Richard Tedeschi e Lawrence Calhoun, por exemplo, pesquisaram pessoas que sofreram experiências traumáticas e verificaram que a maioria delas apresentou mudança psicológica positiva, alcançando níveis mais altos de funcionamento psíquico (crescimento pós-traumático). Por isso há um provérbio que afirma que *um sofrimento pode ensinar a evitar outro*.

A dor nos prepara para as próximas dores. É como se a mente melhor se musculasse para suportar o peso da vida. Não é o estresse ou trauma que nos amadurece, mas sim a luta psicológica para se adaptar às mudanças e às novas realidades. Como certa vez exclamou o presidente norte-americano John Kennedy (1917-1963), *a mudança é a lei da vida. E aqueles que apenas olham para o passado ou para o presente irão com certeza perder o futuro*.

A resiliência é isso: o aprendizado que nasce do sofrimento (*errar é humano, persistir no erro é burrice*). Não é à toa que o líder religioso estadunidense, ativista político e Nobel da Paz em 1964 Martin Luther King (1929-1968) declarou que, "quando o meu sofrimento foi aumentado, logo percebi que havia duas maneiras de responder à situação: reagir com amargura ou transformar o sofrimento em uma força criativa. Eu escolhi a segunda opção".

Transcender, pois, ao sofrimento é uma tarefa psíquica que requer o uso de recursos mentais até então não utilizados. São os momentos de crise psicológica que podem desembocar tanto em adoecimento quanto em crescimento. Como bem frisou o psiquiatra norte-americano Gerald Caplan (1917-2008), crises podem ser "mudanças agudas do padrão de comportamento que ocorrem de tempos em tempos no transcurso da vida de uma pessoa". Tem razão o juízo popular quando expressa que *a necessidade ensina a lebre a correr*.

Existe uma historinha infantil contemporânea[3] que conta que, certo dia, duas crianças estavam patinando em um lago congelado quando, subitamente, o gelo se rompeu e uma delas caiu na água gélida. A outra criança gritou por ajuda, mas ninguém apareceu. Então ela procurou uma pedra e começou a bater no gelo com toda a força até que conseguiu abrir a camada que encobria a criança que se afogava, podendo, assim, resgatá-la. Quando chegaram os adultos que ouviram os pedidos de socorro, eles se surpreenderam de como uma criança tão pequena havia conseguido quebrar o forte gelo. Alguém que estava por perto disse: "eu sei como ele fez isso". E todos indagaram: "como?" Então a pessoa respondeu: "é que não havia ninguém por perto para dizer à criança que ela não ia conseguir". Pois é. É como naquela famosa frase de Jean Cocteau,[4] *não sabendo que era impossível, foi lá e fez*.

A resiliência origina-se, pois, da capacidade que tem o psiquismo de deter os efeitos traumáticos em si (*quem semeia vento colhe tempestade*), quando na psiquê o potencial criador atua como agente de autotransformação. Trata-se de um processo psicológico no qual prevalecem os mecanismos de defesa mais maduros e adaptativos, dentre eles o humor, a originalidade, a inteligência emocional e a sublimação. Tais mecanismos defensivos são uma espécie de suporte às decepções, desgostos, frustrações e sofrimentos, retomando-se, assim, o equilíbrio psíquico, pois, do contrário, *a corda sempre arrebenta pelo lado mais fraco*.

> *O sofrimento é sempre um encontro consigo mesmo: sofrer amadurece.*
> Clarice Lispector

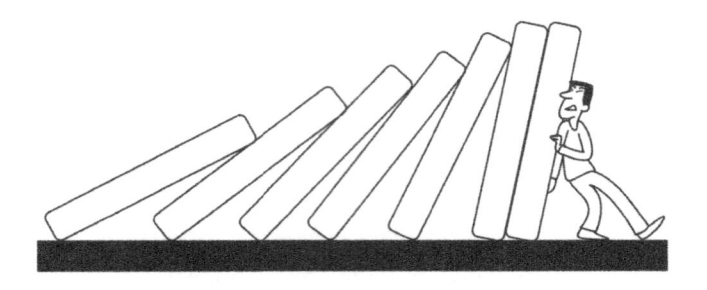

---

[3] De autoria do escritor espanhol Eloy Moreno.
[4] Poeta e dramaturgo francês (1889-1963).

Quem canta seus males espanta

> *Conheça todas as teorias,*
> *domine todas as técnicas,*
> *mas ao tocar uma alma humana,*
> *seja apenas outra alma humana.*
> Carl Jung

Psicoterapia: o tratamento da alma

Em boca fechada não entra mosquito. É verdade. Mas também é verdade que em alguns momentos precisamos abrir a boca para que saiam mosquitos e outros bichos que vamos engolindo ao longo da vida, ou até mesmo criando-os em nossas cabeças.

Quem tem alma não tem calma, já dizia Fernando Pessoa. Sim, a alma é inquieta. Sim, a alma é desassossegada. Mas a alma que cria bichos-papões é a mesma alma que cria príncipes encantados, ou seja, se o psiquismo pode adoecer por ele mesmo (como nas neuroses, por exemplo), ele também pode se curar. Sim, a psiquê tem capacidade autocurativa, só precisa ser ativada.

Quem não fala, Deus não ouve. Pois é, nosso psiquismo e sua interioridade necessitam ser escutados. E é no diálogo com outra alma que a alma pode melhor se conhecer e se desinibir, afinal, *da discussão nasce a luz.*

Diz um dito popular que *roupa suja se lava em casa.* Nossas roupas sujas psíquicas são nossos conflitos internos, nossos sentimentos e pensamentos disfuncionais, nossas fantasias etc. Essas "roupas psíquicas" também se lavam em casa, isto é, dentro do próprio psiquismo, apenas muitas vezes tendo que contar com o auxílio de uma lavadeira ou faxineira, como é o caso do que chamamos de psicoterapeuta. Um psicoterapeuta é um profissional que nos auxilia a limpar nossa casa e nossas roupas sujas. É aquele que busca sempre *entender o figurado*.[1]

Há um ditado de origem turca que assim ensina: *escute cem vezes; pondere mil vezes; fale uma vez*. É isso que faz um psicoterapeuta, nos escuta (*quando um burro fala, o outro abaixa a orelha*). Ele também fala (é bem verdade que fala bem menos que o paciente/cliente), mas ele só nos fala sobre o que falamos com ele, ou seja, ele não direciona nosso discurso,[2] mas, sim, busca entendê-lo, analisá-lo e interpretá-lo.

A maioria das abordagens psicoterápicas é feita de forma verbal (*com a língua te posso ajudar, mas não com o meu te dar*), embora também existam as chamadas terapias corporais. Seja como for, toda psicoterapia é diálogo. E a palavra tem poder, já sabiam os antigos ao criarem o seguinte provérbio: *a língua não tem ossos, mas quebra ossos*.

Segundo o psicanalista norte-americano Lewis Wolberg (1905-1988), psicoterapia é o tratamento, por meios psicológicos, de problemas de natureza emocional, em que uma pessoa treinada (psicoterapeuta) estabelece um relacionamento profissional com o paciente, com o objetivo de remover, modificar ou retardar sintomas existentes, assim como promover o crescimento e o desenvolvimento positivo da personalidade. Com essa definição, destaca-se ser a psicoterapia um procedimento técnico, com bases científicas e teóricas, de um vínculo humano estabelecido entre o psicoterapeuta e seu cliente.

A psicoterapia busca liberar as forças internas em conflito para, assim, encontrar uma saída ao impasse psicológico e existencial em que se encontra a psiquê do paciente/cliente. Abordando a relação psicológica entre o princípio de prazer e o princípio de realidade com mais flexibilidade e adaptabilidade, a psicoterapia propicia ao indivíduo um manejo mais maduro com sua vida e seu mundo, explorando, assim, suas potencialidades antes inibidas e/ou atrofiadas. Na língua corrente das ruas, é comum se dizer que *mais vale um sim tardio que um não vazio*.

Embora a psicoterapia seja baseada em metodologia e técnica, não existe um único tipo de psicoterapia, mas, sim, vários. Psicoterapia é uma abordagem humana sobre problemas e sofrimentos humanos. Pode-se abordar uma alma humana por vários ângulos (cognitivo, afetivo, comportamental), facetas e caminhos. Como se diz, cada caso é um caso.

---

[1] Expressão do interior do Nordeste que significa compreender, saber sobre o que se está falando.

[2] Em situações em que o Ego do cliente se encontra bastante frágil ou prejudicado, a psicoterapia indicada é a psicoterapia de apoio, em que o terapeuta funcionará como Ego auxiliar do paciente. Trata-se de um manejo ativo e diretivo.

Há quem afirme que *macaco velho não aprende arte nova*. Isso pode ser com os macacos, com o ser humano não (*pra burro velho, capim novo*). Porém, para isso, é preciso vencer as resistências internas e maleabilizar a rigidez caracterológica que carregamos. *Água mole em pedra dura tanto bate até que fura.*

Nenhum pássaro aprende a voar dentro de uma gaiola. Sim, este é o maior objetivo de uma psicoterapia, contribuir para que o sujeito consiga sair de sua gaiola psíquica e alce os voos que pode voar.

Freud dizia que o objetivo de analisar o psiquismo humano era transformar o inconsciente em consciente, ou transformar o que antes era Id em Ego. Aaron Beck, por sua vez, enfatizava a importância de corrigir pensamentos distorcidos. Os atuais cognitivistas-comportamentalistas têm como principal tarefa identificar padrões de comportamento e hábitos inadaptados, bem como crenças disfuncionais. Jeffrey Young destaca que o foco de uma psicoterapia deve ser mudar a forma de encarar, interpretar e reagir aos estímulos; enquanto Carl Rogers entendia que a finalidade seria liberar o self, por meio da elevação da autoestima e da autoconfiança. Seja como for, *todos os caminhos levam a Roma*.

> *Toda a vida da alma humana é um movimento na penumbra.*
> *Vivemos, num lusco-fusco de consciência,*
> *nunca certos com o que somos ou com o que nos supomos ser.*
> *Nos melhores de nós vive a vaidade de qualquer coisa,*
> *e há um erro cujo ângulo não sabemos.*
> *Somos qualquer coisa que se passa no intervalo de um espetáculo;*
> *por vezes, por certas portas,*
> *entrevemos o que talvez não seja senão cenário.*
> *Todo o mundo é confuso, como vozes na noite.*
>
> Bernardo Soares[3]

---

[3] Heterônimo do poeta Fernando Pessoa, utilizado no *Livro do desassossego*, São Paulo: Companhia de Bolso, 2006.

Só se sabe a felicidade depois que ela vai embora

A felicidade é uma inquietação da vida.
Provérbio chinês

O eterno desejo de felicidade

Já vimos alguém definindo felicidade como uma sensação de bem-estar e contentamento, como um momento durável de satisfação em que a pessoa se sente plenamente feliz e realizada e no qual não há nenhum tipo de sofrimento. Parece ideal, não acham? E é.

Independentemente do que seja felicidade, ela representa um estado de espírito formado por várias emoções e sentimentos positivos, muitas vezes propiciados por um sonho realizado, por uma conquista alcançada ou por um desejo consumado. Freud já dizia que todo ser humano é movido pela busca da felicidade. Mas também afirmava que essa busca seria utópica, visto que a felicidade plena não faz parte do mundo real, no qual o indivíduo vive experiências de triunfos e fracassos, alegrias e tristezas, realizações e frustrações. O máximo que ele pode conseguir é uma felicidade parcial, uma felicidade mais ou menos. Por isso é que se diz que *a felicidade é como os relógios: quanto mais simples, melhor anda.*

Há um antigo provérbio chinês que diz que *os nossos desejos são como crianças pequenas: quanto mais lhes cedemos, mais exigentes se tornam.* Por outro lado, já escrevia Goethe[1] que *o homem deseja tantas coisas, e, no entanto, precisa de tão*

---
[1] Johann Wolfgang von Goethe, escritor alemão (1749-1832).

pouco. De que, portanto, necessita o ser humano para ser feliz? A felicidade, caso exista, tem um preço? Qual o preço da felicidade?

Bem, não sei se felicidade tem um preço (que não seria em termos venais nem econômicos), mas entendo que ela tem um limite. Ou, como já afirmava o novelista e compositor francês Romain Rolland (1866-1895), Nobel de Literatura de 1915, *a felicidade está em conhecer nossos limites e em apreciá-los*. Sim, *quem tudo quer tudo perde*.

Se felicidade está, de alguma forma, relacionada com sonhos e desejos, ninguém, humanamente falando, realizará todos os seus sonhos e desejos, afinal *a perna não faz o que o joelho quer*. Pode até ser que no fundo de nossas almas ou psiquês exista o anseio de alcançarmos a felicidade sem esforço ou dor. Talvez. Mas isso seria a felicidade plena e narcisista. Na realidade, muitos dos nossos mais autênticos desejos podem e são alcançados, todavia com renúncia e trabalho. Não basta apenas deitar em uma rede e sonhar. Não vai cair do céu, e de graça. Há coisas, por exemplo, que construímos e fazemos ao longo do tempo que nem sempre nos dão satisfação, mas nos propiciam a sensação de segurança. Não é fácil abrir mão de segurança, mesmo que nela exista a impressão de vazio ou de que falta algo, para se arriscar a buscar fora o que pode nos fazer felizes. O lado de fora do nosso "mundinho" é imenso e desconhecido, quase no exato tamanho dos nossos medos. Não é à toa que se criou este ditado: *o sol nasce para todos; a lua, para quem merece*.

E assim há os que preferem a segurança de seus vazios e a estabilidade medíocre e certa de suas vidas do que a aventura de se lançar para fora do amparo de suas cercanias em busca de algo que, se lá existe, não se chega sem alguma dor ("não existe felicidade sem dor"[2]). Com outras palavras e por outras vias assim também descreveu Clarice Lispector em seu livro *A descoberta do mundo*:[3]

> Então isso era a felicidade. E por assim dizer sem motivo. De início se sentiu vazia. Depois os olhos ficaram úmidos: era felicidade, mas como sou mortal, como o amor pelo mundo me transcende. O amor pela vida mortal a assassinava docemente, aos poucos. E o que é que eu faço? Que faço da felicidade? Que faço dessa paz estranha e aguda, que já está começando a me doer como

---

[2] Escreveu o filósofo e Nobel de Literatura em 1957 Albert Camus (1913-1960).
[3] Clarice Lispector, *A descoberta do mundo*, Rio de Janeiro: Rocco, 1999.

uma angústia, como um grande silêncio? A quem dou minha felicidade, que já está começando a me rasgar um pouco e me assusta? Não, não quero ser feliz. Prefiro a mediocridade. Ah, milhares de pessoas não têm coragem de pelo menos prolongar-se um pouco mais nessa coisa desconhecida que é sentir-se feliz, e preferem a mediocridade.

O abdicar em favor da nossa própria felicidade não é tarefa ou atitude fácil. Operar a favor da autoestima dizendo alguns nãos ao mundo, às convenções e às pessoas é difícil e não é sinônimo de egoísmo (em termos pejorativos ou narcisistas), porém sintoma positivo de amor-próprio, autoconfiança e assertividade. É saudável quando podemos mudar de emprego ou carreira profissional quando não nos sentimos bem ou autorrealizados.

Embora seja difícil abandonar os medos e seguir em frente, é possível, desde que, de antemão, saibamos que o que almejamos de verdade – além dos desertificados espaços de segurança que o mundinho cotidiano nos dá em sensação, como em sensação também nos dá o vazio – não se consegue de um dia para o outro (*nem sempre galinha, nem sempre sardinha*). Há tantos pensamentos e paradigmas apenas rotulantes e empobrecedores, relacionamentos afetivos esvaziados ou rotinas fúteis e inférteis. São tantas as convenções que nos ditam como fazer, sentir, pensar, que chegamos ao ponto de não sabermos mais fazer, sentir e pensar direito.

A alma humana não tem peso. Quem pesa é o corpo. Porém nos sentimos muitas vezes pesados ou leves. O que faz que a alma esteja pesada ou leve não são os quilos, mas as autocobranças severas. Quanto mais nos autocobramos severamente, mais nos sentimos pesados. Quanto menos severos somos, mais nos sentimos leve. Não é questão de quantidade, portanto, mas de relaxamento e coragem. *Quem tem coragem tem vantagem.*

Quanto mais imaturo for o psiquismo, menos é capaz de renunciar. O oposto, por sua vez, também é verdade: quanto mais maduro for o psiquismo, mais ele é capaz de renunciar. Esta é a grande aprendizagem que cabe à alma humana durante o seu caminhar: abrir mão do seu próprio narcisismo e onipotência de desejar a felicidade plena e a realização total de todos os seus sonhos. Como certa vez escreveu o jornalista e escritor Arthur da Távola (1936-2008), *eis a felicidade possível: compreender que construir a vida é renunciar a pedaços da felicidade para não renunciar ao sonho da felicidade.*

Como se diz por aí: *antes perder a lã que a ovelha.*

> *Nunca somos tão infelizes como supomos,*
> *nem tão felizes como havíamos esperado.*
> François de La Rochefoucauld[4]

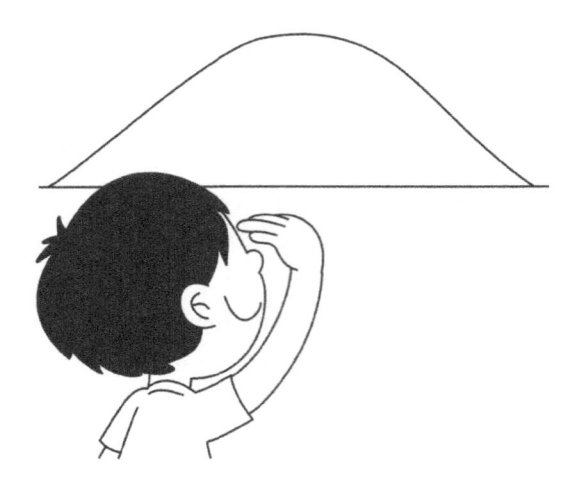

---
[4] Escritor francês (1613-1680).

Deus escreve certo por linhas tortas

> *O que faz andar o barco não é a vela enfunada,*
> *mas o vento que não se vê.*
>
> Platão

O coração tem razões que a própria razão desconhece

Chegamos ao fim de nossa breve trajetória pela alma humana (psiquismo). Essa viagem foi, na verdade, um diálogo entre o conhecimento do senso comum e o saber da ciência da Psicologia. Ambos os saberes falam, cada um ao seu modo, da mesma coisa: o ser humano.

O saber é para a alma o que a saúde é para o corpo, já diz um dito popular. Sim, para uma vida mais saudável, é necessário conhecer melhor o que se passa conosco a partir de nossa subjetividade e interioridade. Como afirmava Shakespeare, *somos feitos da mesma matéria de que são feitos os sonhos*. Quer mesmo se conhecer? Quer mesmo entender essa coisa que nos inquieta por dentro, que chamamos de alma ou mente? Então é mister aprender a linguagem dos sonhos, isto é, dos nossos desejos, imaginações, fantasias, sentimentos e emoções. Trata-se de um dialeto diferente da lógica cartesiana e racional da parte sapiens do *homo sapiens*. É uma linguagem, como profere um provérbio, cuja *língua não tem osso*.

A sabedoria popular é feita de escutas e memórias. É um conhecimento de séculos, que se passa de *boca a boca*[1] e que incorpora mais saberes do que muitos

---

[1] Transmissão oral.

diplomas. Um saber que serve de bússola a nos orientar nos caminhos da vida e da existência. Alguém até já disse que *roubar a ideia de uma pessoa é plágio, mas roubar a ideia de várias é pesquisa.*

Não me sinto um ladrão (*ladrão que rouba ladrão tem mil anos de perdão*), mas um constante aprendiz. E foi com essa curiosidade desassossegada com que minha alma me inquieta que procurei, aqui e acolá, correlacionar a inteligência das ruas com a sapiência dos livros acadêmicos.

O que sei eu do que sabe o povo? Há no senso comum uma gama de informações que geralmente nos passam desapercebidas na correria do nosso cotidiano ligeiro. A sabedoria popular é como um garimpo em que se encontram as mais belas pepitas de ouro. Algumas delas coloquei aqui para compartilhar, afinal *quem seu carro unta seus bois ajuda.*

De que é feita a alma? Da mesma matéria dos nossos sonhos, já sabemos. E não há nada mais anímico, mais entranhadamente humano que o nosso original narcisismo. É daí que brotamos, a partir da interminável luta entre o Princípio do Prazer e o Princípio de Realidade (*vide* capítulo *A pressa é inimiga da perfeição*), entre o ideal e o realizável, entre o ilusório e o possível. Somos todos, sem exceção, *narcissus aeternuns*.[2]

A ambição no mais fundo de nossa alma é a perfeição, embora *tudo é quimérico na ambição, pois tudo é efêmero na vida.* Porém, como diz o povo, *o boi é que sobe, o carro é que geme.* Nosso narcisismo (o boi) nos cobra, e quem sofre é o nosso Eu (o carro).

Assim como Deus escreve certo por linhas tortas, também o povo sabe das coisas de maneira direta, embora tortuosa e oblíqua. Na incorreta imperfeição dos provérbios e das falas populares encontramos as mais corretas sacadas e lampejos que só uma cabeça (ou várias) – sem todo aquele palavreado sisudo, hermético e rebuscado dos manuais de Psicologia – é capaz de expressar com leveza e simplicidade sábias. Talvez por isso é que se diga popularmente que *a sabedoria é mais modesta que a ignorância.*

Há quem chame a psicologia do senso comum de *psicologia ingênua* (em inglês, *naive*). Só porque não tem o manto da ciência não transforma as descobertas e convicções culturalmente passadas de geração em geração sobre o comportamento humano, suas vivências, subjetividades e experiências em algo raso, simplório ou pouco crédulo. Sim, como todo conhecimento, tem lá seus equívocos e crenças, mas também tem algo de profundo por debaixo das aparentes simplicidades

---

[2] Eternos narcísicos.

intuitivas. Como não perceber a sagacidade de adágios, como *em casa de ferreiro espeto de pau*, ou *quem com o ferro fere com o ferro será ferido*?

Pelo que já foi exposto, é melhor observar o que nossos antepassados nos doaram com seus aforismos e ditos populares. Afinal, *não se começa a casa pelo telhado*. Pois é, *escreveu, não leu, o pau comeu.*

E priu.[3]
Por enquanto...

---

[3] Expressão popular nordestina para dizer que o assunto está encerrado, fim de jogo.

Índice remissivo de ditados populares

A corda sempre arrebenta pelo lado mais fraco, 106
A desgraça nunca vem sozinha, 96
A dor ensina a gemer, 73
A felicidade é como os relógios: quanto mais simples, melhor anda, 111
A galinha do vizinho é sempre mais gorda, 83
A grama do vizinho é sempre mais verde, 83
A inveja é irmã gêmea do ódio, 84
A língua não tem ossos, mas quebra ossos, 108
A lua não fica cheia em um dia, 65
A medida de encher nunca transborda, 99
A mentira dá flores, mas não frutos, 50
A mentira é como uma bola de neve: quanto mais rola, mais engrossa, 49
A mentira tem perna curta, 69
À mulher de César não basta ser honesta, deve parecer ser honesta, 41
A necessidade ensina a lebre a correr, 106
À noite todos os gatos são pardos, 65
A perna não faz o que o joelho quer, 112
A pressa é inimiga da perfeição, 21
A pressa é madrinha do arrependimento, 22
A pressa só é útil para apanhar moscas, 19

A sabedoria é mais modesta que a ignorância, 116
A união faz a força, 27
A vida é feita de altos e baixos, 93
A voz do povo é a voz de Deus, 11
Água mole em pedra dura tanto bate até que fura, 109
Águas passadas não movem moinho, 81
Alegria de palhaço é ver o circo pegar fogo, 98
Alegria de pobre dura pouco, 93
Amor com amor se paga, 66
Andar para trás como um caranguejo, 81
Angu de um dia não engorda porco, 19
Antes perder a lã que a ovelha, 113
Antes só do que mal acompanhado, 11 (rodapé)
Antes sofrer que morrer, 72
Ao passado tira-se o chapéu, 82
Apressado come cru, 19
Araruta tem seu dia de mingau, 96
As loucuras que acabam cedo são as melhores, 95
Às vezes são precisas muitas mentiras para sustentar uma, 50
Às vezes uma pequena nuvem esconde o sol, 97
Até as paredes têm ouvido, 13
Barata sabida não atravessa galinheiro, 43
Batatinha quando nasce, se esparrama pelo chão, 54 (no texto e no rodapé)
Batendo o ferro é que se fica ferreiro, 104
Brincadeira com fogo sempre acaba em choro, 101
Burro velho não aprende, 104
Cada cabeça uma sentença, 15
Cada dia com sua agonia, 72
Cada leitão em sua teta, 16
Cada louco com sua mania, 16
Cada macaco no seu galho, 97

Índice remissivo de ditados populares

Cada um por si, Deus por todos, 103
Cada um sabe onde lhe aperta o sapato, 75
Cautela e canja de galinha nunca fizeram mal a ninguém, 87
Cavalo dado não se olha os dentes, 45
Cobra que não anda não apanha sapo, 57
Com a língua te posso ajudar, mas não com o meu te dar, 108
Com o tempo, tudo se cura, 81
Como se toca, assim se dança, 53
Conduta de pais, caminho de filhos, 54
Coração e motor sem faísca não pega, 92
Costume de casa vai à praça, 59
Da discussão nasce a luz, 107
De grão em grão a galinha enche o papo, 22
De médico e louco todo mundo tem um pouco, 80
De pequenino é que se torce o pepino, 53
Depois da calma vem a tempestade, 91
Depois da tempestade vem a bonança, 91
Deus escreve certo por linhas tortas, 116
Devagar se vai longe, 19
Do homem é o errar, da besta, o teimar, 79
Dois bicudos não se beijam, 33
Donde não se espera, daí é que sai, 70
Dor de barriga não dá só uma vez, 77
É dando que se recebe, 65
É preciso ver para crer, 68
Em boca fechada não entra mosquito, 107
Em briga de mar com a praia, quem paga é o caranguejo, 28
Em casa de ferreiro espeto de pau, 117
Em lugar escuro não entra alegria, 92
Em terra de cego, quem tem olho é rei, 43
Errar é humano, persistir no erro é burrice, 33

Escreveu, não leu, o pau comeu, 117
Escute cem vezes; pondere mil vezes; fale uma vez, 108
Esmola demais, o cego desconfia, 45
Farinha pouca, meu pirão primeiro, 61
Ferro se malha enquanto está quente, 56
Filho criado, trabalho dobrado, 59
Filho de gato caça rato, 59
Filho de peixe peixinho é, 23
Filhote de onça já nasce pintado, 25
Formiga, quando quer se perder, cria asas, 95
Galinha que acompanha pato morre afogada, 31
Gato escaldado tem medo de água fria, 75
Homem é como fósforo: sem cabeça não vale nada, 96
Homem sem dinheiro é um violão sem cordas, 58
Idade e experiência valem mais que adolescência, 101
Ladrão que rouba ladrão tem mil anos de perdão, 116
Lágrimas com pão, passageiras são, 100
Leite de vaca não mata bezerro, 81
Língua não tem osso, 115
Longe dos olhos, longe do coração, 68
Macaco velho não aprende arte nova, 109
Macaco velho não põe a mão em cumbuca, 80
Mais vale um pássaro na mão do que dois voando, 21
Mais vale um sim tardio que um não vazio, 21
Mão posta, ajuda é, 63
Mãos frias, coração quente, 88
Muito riso, pouco siso, 93
Muitos entram lambendo e saem mordendo, 93
Mulher feia detesta espelho, 51
Nada como um dia após o outro, 103
Não adianta chorar o leite derramado, 79

Não se começa a casa pelo telhado, 117
Não se pode julgar um livro pela capa, 47
Nem sempre galinha, nem sempre sardinha, 113
Nem sempre o que parece é, 49
Nem todo dia se come pão quente, 103
Nem tudo que reluz é ouro, 12
Nenhum pássaro aprende a voar dentro de uma gaiola, 109
Ninguém consegue assoviar e chupar cana ao mesmo tempo, 97
Ninguém diga: dessa água não beberei, 72
Ninguém nasce sabendo, 53
Ninguém se levanta sem primeiro cair, 104
No avião o medo é passageiro, 87
No frigir dos ovos é que se vê a manteiga, 99
Numa luta de elefantes, o prejudicado é sempre o capim, 96
Nunca é tarde para aprender, 104
O amor é cego, 44
O boi é que sobe, o carro é que geme, 116
O egoísta, amando só a si, de ninguém é amado, 63
O fogo dorme sob as cinzas, 70
O futuro a Deus pertence, 19
O invejoso adoece quando seu vizinho passa bem, 84
O invejoso emagrece de ver a gordura alheia, 84
O medo é do tamanho que a gente faz, 87
O medo é pai da crença, 88
O medroso até da sombra tem medo, 90 (rodapé)
O ótimo é inimigo do bom, 51
O que arde cura, o que aperta segura, 76
O que é do homem, o bicho não come, 16
O que os olhos não veem, o coração não sente, 67
O saber é para a alma o que a saúde é para o corpo, 115
O sol nasce para todos; a lua, para quem merece, 112

O tempo cura tudo, 76
O uso do cachimbo faz a boca torta, 48
Olha com quem andas que te direi quem és, 38
Onde há fogo, logo fumega, 70
Onde há fumaça, há fogo, 79
Onde vai a corda, vai a caçamba, 37
Os sábios não dizem o que sabem, e os tolos não sabem o que dizem, 43
Panela velha é que faz comida boa, 62
Para baixo, todos os santos ajudam, 93
Para bom entendedor, meia palavra basta, 11
Parecer sem ser é fiar sem tecer, 41
Passarinho que voa com morcego dorme de cabeça para baixo, 34
Passinho a passinho se faz muito caminho, 21
Pimenta no cu dos outros é refresco, 72
Pra burro velho, capim novo, 109
Quando um burro fala, o outro abaixa a orelha, 108
Quando um não quer, dois não brigam, 33
Quanto maior o coqueiro, maior a queda, 93
Quem à pressa se casa com vagar se arrepende, 22
Quem avisa amigo é, 37
Quem bate esquece, quem apanha não, 76
Quem bem ouve bem responde, 32
Quem canta seus males espanta, 107
Quem com o ferro fere com o ferro será ferido, 117
Quem conta um conto aumenta um ponto, 80
Quem dorme com criança acorda molhado, 56
Quem muito se abaixa mostra o rabo, 101
Quem não arrisca não petisca, 12
Quem não chora não mama, 39
Quem não fala Deus não ouve, 107
Quem não quer sofrer nasce morto, 70

Quem não se aventura não come gordura, 100
Quem não tem cão caça com gato, 11
Quem pensa não casa, 45
Quem procura acha, 13
Quem quer a rosa, aguente o espinho, 104
Quem sai aos seus não degenera, 26
Quem se mistura com porcos farelo come, 38
Quem semeia vento colhe tempestade, 106
Quem seu carro unta seus bois ajuda, 116
Quem tem boca vai a Roma, 11
Quem tem coragem tem vantagem, 113
Quem tem cu tem medo, 76
Quem tem filho barbado é gato, 25
Quem tem mãe é sempre criança, 81
Quem tem medo morre cedo, 88
Quem tem medo não mama em onça, 87
Quem tem medo recolhe para casa cedo, 88
Quem tem saúde de ferro pode um dia enferrujar, 80
Quem tudo quer tudo perde, 112
Quem vai com muita sede ao pote quebra o pote, 19
Quem vai pra chuva vai pra se molhar, 21
Quem vê cara não vê coração, 47
Rapadura é doce, mas não é mole, não, 93
Rico ri à toa, 93
Roma não se construiu em um dia, 58
Roupa suja se lava em casa, 107
Saco vazio não para em pé, 82
Sair da brasa e cair na labareda, 93
Se a inveja fosse coxa, muita gente andava de muletas, 85
Se a vida te der um limão, faça dele uma limonada, 100 (rodapé)
Só se sabe a felicidade depois que ela vai embora, 111

Tatu velho não esquece o buraco, 63
Todos os caminhos levam a Roma, 109
Tudo é quimérico na ambição, pois tudo é efêmero na vida, 116
Um coração é espelho de outro, 51
Um dia da caça, outro do caçador, 103
Um sofrimento pode ensinar a evitar outro, 105
Uma andorinha só não faz verão, 62
Uma mão lava a outra, 62
Uma mão lava a outra, ambas lavam o rosto, 97
Urubu, quando está infeliz, cai de costas e quebra o nariz, 92
Vão-se os anéis, ficam-se os dedos, 93

Esta obra foi composta em
Adobe Garamond Pro 11/14,3 pt e
impressa em papel Offset 90 g/m²
pela gráfica Meta.